Guylaine Cardinal

Le français langue seconde par thèmes

Cahier d'exercices • Niveau avancé

gaëtan morin
éditeur

Données de catalogage avant publication (Canada)

Cardinal, Guylaine, 1964-

   Le français langue seconde par thèmes : cahier d'exercices

   Sommaire : [1] Débutant – [2] Intermédiaire – **[3] Avancé**

   ISBN 2-89105-568-3 (v. 1) – ISBN 2-89105-569-1 (v. 2) – **ISBN 2-89105-572-1 (v. 3)**

    1. Français (Langue) – Problèmes et exercices. 2. Français (Langue) – Grammaire. 3. Français (Langue) – Vocabulaires et manuels de conversation. I. Titre.

PC2128.C37.2002   448.2'4   C95-940364-7

Tableau de la couverture: *Douce béatitude*
                       Œuvre de **Marcel H. Poirier**

Marcel H. Poirier, peintre autodidacte, est né à Verdun en 1946. Immobilisé à la suite d'un accident survenu en 1968, il commence à peindre. C'est une véritable révélation et une renaissance pour lui. Grâce à l'indéfectible appui moral et à l'encouragement d'artistes comme Léo Ayotte, Narcisse Poirier, René Richard et Albert Rousseau, ses expositions et les honneurs se succèdent depuis 1972 à un rythme soutenu.

En 1974, Radio-Canada fait un reportage à son atelier. Lors d'une entrevue à Télé-Métropole en 1975, Léo Ayotte déclare que Marcel H. Poirier est habité par le feu sacré. Cette même année, le Festival de la peinture du Québec lui décerne une mention honorifique. Trois ans plus tard, il recevra la Grande Médaille des arts de ce même festival. En 1980, le Centre culturel de Verdun ajoute son nom à sa prestigieuse liste d'exposants. Il remporte, en 1981, le premier prix au Concours dc peintures géantes du Stade olympique. En 1982, il reçoit la médaille d'or au Salon international de peinture de Sherbrooke, qui réunit plus de 80 exposants de dix pays. Cette même année, son nom apparaît dans le *Dictionnaire des artistes canadiens* de Colin S. McDonald. En 1989, une exposition solo au Musée Marc-Aurèle Fortin à Montréal marque un jalon important dans la carrière florissante de cet artiste.

Le nom de Marcel H. Poirier est répertorié dans plus de quinze livres d'art, dont une monographie de Guy Robert publiée en 1983.

Les illustrations de cet ouvrage proviennent du logiciel Windows Draw de Micrografx. (Copyright Micrografx, Inc. 1993. All rights reserved.)

Illustrateur : Marc St-Onge
Révision linguistique : Odile Germain

Consultez notre site,
www.groupemorin.com
Vous y trouverez du matériel
complémentaire pour plusieurs
de nos ouvrages.

Gaëtan Morin Éditeur ltée
171, boul. de Mortagne, Boucherville (Québec), Canada   J4B 6G4
Tél. : (450) 449-2369

Nous reconnaissons l'aide financière du gouvernement du Canada par l'entremise du Programme d'aide au développement de l'industrie de l'édition (PADIÉ) pour nos activités d'édition.

Imprimé au Canada 4 5 6 7 8 9 0 1 2 3   11 10 09 08 07 06 05 04 03 02

Dépôt légal 2e trimestre 1995 – Bibliothèque nationale du Québec – Bibliothèque nationale du Canada

Remerciements

Tous mes remerciements vont à :

- l'équipe de Gaëtan Morin Éditeur, pour son très grand professionnalisme,
- tous mes étudiants, qui m'ont beaucoup appris,
- Josie Piech, qui m'a fortement encouragée à réaliser ce projet,
- Émile et Denise Cardinal, qui ont grandement facilité mon travail.

Aussi, je désire adresser un merci tout spécial à Marc St-Onge, sans qui cet ouvrage n'aurait jamais vu le jour. C'est grâce à sa passion pour l'informatique et à ses précieux conseils que ce projet a pu se réaliser.

Guylaine Cardinal

Avertissement

Dans cet ouvrage, le masculin est utilisé comme représentant des deux sexes, sans discrimination à l'égard des hommes et des femmes et dans le seul but d'alléger le texte.

Table des matières

Remerciements V

PARTIE *I*
Thèmes

                                                                               PARTIE *III*

                                                                               Corrigé

THÈME 1   La santé 3   247

THÈME 2   Les qualités et les défauts 27   249

THÈME 3   La météo 45   250

THÈME 4   Les transports 59   251

THÈME 5   Le travail 79   252

THÈME 6   Les actions quotidiennes 97   253

THÈME 7   Le bureau 115   255

THÈME 8   Les voyages 139   257

PARTIE *II*
Références grammaticales

1. Les noms 161   259

2. Les articles 165   259

3. Les adjectifs 171   260

4. Les pronoms 177   261

5. Les verbes 189   262

6. Les adverbes 223   264

7. Les prépositions 235   264

8. Les conjonctions 241   265

PARTIE I

Thèmes

THÈME 1

La santé

RÉVISION   *Répondez aux questions.*

1. Trouvez les verbes appropriés en vous inspirant des premières lettres.

 a) Pour être en santé, il faut a _VOIR_ une bonne alimentation, ê _tre_ optimiste et f _aire_ de l'exercice.

 b) Quand on est malade, il faut a _ller_ chez le médecin et p _ _ _ _ _ _ ? des médicaments.

2. Nommez les quatre groupes alimentaires.

 _____   _____

 _____   _____

3. Complétez les phrases en utilisant la comparaison **plus de... que de**, **moins de... que de** ou **autant de... que de**.

 Pour être en santé, ...

 a) il faut manger (fruits/gâteaux) _____

 _____

 b) il faut manger (riz/pâtes alimentaires) _____

 _____

 c) il faut manger (bœuf/légumes) _____

 _____

 d) il faut boire (jus d'orange/café) _____

 _____

 e) il faut boire (vin/jus) _____

 _____

4. Conjuguez les verbes suivants à l'imparfait.

a) avoir

    _____

    _____

    _____

    _____

    _____

    _____

b) faire

    _____

    _____

    _____

    _____

    _____

c) être

    _____

    _____

    _____

    _____

    _____

    _____

5. Répondez aux questions suivantes.

a) Fais-tu encore du yoga ?

    Oui, _____

b) Est-il encore au régime ?

    Oui, _____

c) Jouez-vous encore au golf ?

    Non, nous _____

d) Êtes-vous encore fatigué ?

    Non, je_____

e) A-t-elle encore le rhume ?

    Non,_____

6. Trouvez les verbes appropriés et conjuguez-les à l'imparfait.

   Quand j'étais plus jeune, ...

   a) je _____ au baseball.

   b) je _____ la télévision.

   c) je _____ des bandes dessinées.

7. Nommez les pièces d'un jeu d'échecs.

   _____   _____

   _____   _____

   _____   _____

LES CINQ SENS DE L'ÊTRE HUMAIN

EXERCICE 1   *Pour chacun des verbes suivants, dites quel sens est concerné.*

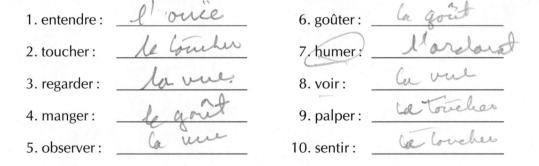

1. entendre : *l'ouïe*
2. toucher : *le toucher*
3. regarder : *la vue*
4. manger : *le goût*
5. observer : *la vue*

6. goûter : *le goût*
7. humer : *l'odorat*
8. voir : *la vue*
9. palper : *le toucher*
10. sentir : *le toucher*

LES CARACTÉRISTIQUES PHYSIQUES

Il existe de nombreuses expressions pour décrire les caractéristiques physiques des personnes. Voici quelques exemples :

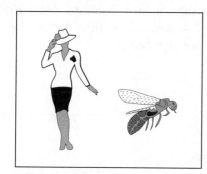

Elle a une taille de guêpe.

Il fait de l'embonpoint.

Elle a des yeux de lynx.

Il est myope comme une taupe.

Elle est frisée comme un mouton.

Il est haut comme trois pommes.

Il a une santé de fer.

Elle a une santé fragile.

EXERCICE 2   *Dans la liste, trouvez l'expression qui convient le mieux pour chacune des descriptions ci-dessous, conjuguez le verbe au présent de l'indicatif et faites les accords nécessaires avec le sujet.*

être bien bâti – être sourd comme un pot – ne pas faire son âge – être maigre comme un clou – être rayonnant de santé – avoir le sourire accroché aux lèvres – avoir mauvaise mine – être fort comme un bœuf

1. Son visage n'a pas l'air en bonne santé.

   Elle _____

2. Son corps n'a pas beaucoup de graisse.

   Il _____

3. Elle a l'air très en forme.

   Elle _____

4. Il a une grande force physique.

   Il _est fort comme un bœuf_ _____

5. Il a beaucoup de difficulté à entendre.

   Il _est sourd comme un pot._ _____

6. Elle est toujours souriante.

   Elle _a le sourire accroché aux lèvres_

7. Son physique est imposant.

   Il _____

8. Elle a l'air plus jeune qu'elle ne l'est en réalité.

   Elle _ne fait pas son âge._ _____

AUX GRANDS MAUX, LES GRANDS REMÈDES !

Le corps humain n'est pas à toute épreuve ! Personne n'est complètement à l'abri des maladies ou des blessures. Quand on souffre d'un mal, il est important de trouver la solution qui permettra de se guérir et de retrouver rapidement la santé.

EXERCICE 3   *Pour chacun des cas, trouvez dans la liste suivante les remèdes qui conviennent le mieux.*

du peroxyde – un mélange d'eau et de bicarbonate de soude – un comprimé analgésique – un massage – de la chaleur – du repos – de l'eau froide – du sirop – un mélange d'eau et de lait froid

1. une grippe : _____

2. un mal de tête : _____

3. une légère brûlure : _____

4. une coupure : _____

5. une crampe dans la jambe : _____

6. une piqûre d'abeille : _____

7. un coup de soleil : _____

8. une engelure : _____

EXERCICE 4   *De quelle maladie s'agit-il ?*

le cancer – un ulcère – le sida – la fièvre des foins – la rougeole – l'arthrite –
une pneumonie

1. C'est une maladie du poumon : _____ *un pneumonie*

2. C'est une plaie qui ne se cicatrise pas et elle se forme le plus souvent dans
   l'estomac : _____ *un ulcère*

3. C'est une inflammation des articulations qui cause de grandes douleurs.
   Cette inflammation se produit souvent dans les doigts et dans les hanches :
   _____ *l'arthrite*

4. C'est une maladie très grave qui attaque le système immunitaire :
   _____ *le sida*

5. C'est une allergie au pollen qui cause des problèmes respiratoires :
   _____ *la fièvre des foins*

6. C'est une tumeur qui peut se développer dans différents organes du corps :
   _____ *le cancer*

7. C'est une maladie contagieuse. Les enfants qui en souffrent ont le corps
   couvert de plaques rouges : _____ *la rougeole*

SE FAIRE + infinitif

OBSERVEZ :

Il **s'est fait poser** un plâtre parce qu'il s'est cassé une jambe.

Elle **s'est fait opérer** parce qu'elle avait une hernie discale.

Elle **s'est fait faire** une paire de lunettes parce qu'elle est myope.

Il **s'est fait poser** des broches pour redresser ses dents.

NOTEZ :

Quand les verbes **faire** ou **se faire** sont suivis d'un infinitif, le participe passé **fait** est invariable.

EXERCICE 5   *Formulez des phrases en utilisant* se faire *suivi d'un infinitif.*

Exemple : J'avais trois caries. Le dentiste m'a fait trois plombages.
Je me suis fait faire trois plombages parce que j'avais trois caries.

1. Elle a fait un infarctus. Un cardiologue l'a soignée.

   _____

2. Il avait des problèmes de dos. Un chiropraticien l'a traité.

   _____

3. J'avais des problèmes d'audition. Un audioprothésiste m'a confectionné une prothèse auditive.

   _____

4. Tu as subi un choc nerveux. Un psychologue t'a suivi pendant quelques mois.

   _____

5. Il est chauve et il n'aime pas son apparence physique. Un perruquier lui a fait une perruque.

   _____

6. Elle n'aimait pas son nez. Un chirurgien esthétique lui a refait le nez.

   _____

LA PROPOSITION CONDITIONNELLE AVEC SI AU PASSÉ

Lisez attentivement.

(ANDRÉA) — Bonjour, Jacques ! Comment vas-tu ?

(JACQUES) — Je vais mal ! J'ai attrapé une grippe horrible !

(ANDRÉA) — Pauvre Jacques !

(JACQUES) — Ne me prends pas en pitié ! C'est ma faute si j'ai la grippe.

(ANDRÉA) — Comment ça ?

(JACQUES) — J'ai été stupide ! Samedi passé, il pleuvait très fort et j'ai décidé de faire quand même du jogging. Au bout d'un certain temps, j'ai décidé de me reposer. Je suis allé m'asseoir dans un petit restaurant pour boire un jus et j'ai eu très froid à cause de l'air climatisé.

(ANDRÉA) — Tu aurais dû faire attention.

(JACQUES) — Oui, **si** j'**avais été** plus prudent, je n'**aurais** pas **attrapé** la grippe. J'aurais dû faire de l'exercice à la maison.

Dans la proposition qui commence par **si**   → utilisation du **plus-que-parfait***

Dans l'autre proposition → utilisation du **conditionnel passé***

OBSERVEZ :

Si j'**avais été** plus prudent, je n'**aurais** pas **attrapé** la grippe.
plus-que-parfait   conditionnel passé

Si j'**avais su**, je ne **serais** pas **sorti**.
plus-que-parfait   conditionnel passé

Si j'**étais resté** à la maison, je n'**aurais** pas **eu** froid.
plus-que-parfait   conditionnel passé

---

* Le plus-que-parfait et le conditionnel passé
☞ Voir les Références grammaticales, pages 194 à 197 et 205 à 207.

AVOIR – ÊTRE – FAIRE – RESTER AU PLUS-QUE-PARFAIT

Avoir au
plus-que-parfait
j'avais eu
tu avais eu
il/elle/on avait eu
nous avions eu
vous aviez eu
ils/elles avaient eu

Être au
plus-que-parfait
j'avais été
tu avais été
il/elle/on avait été
nous avions été
vous aviez été
ils/elles avaient été

Faire au
plus-que-parfait
j'avais fait
tu avais fait
il/elle/on avait fait
nous avions fait
vous aviez fait
ils/elles avaient fait

Rester au
plus-que-parfait
j'étais resté
tu étais resté
il/on était resté
elle était restée
nous étions restés
vous étiez restés
ils étaient restés
elles étaient restées

AVOIR – ÊTRE – FAIRE – RESTER AU CONDITIONNEL PASSÉ

Avoir au
conditionnel passé
j'aurais eu
tu aurais eu
il/elle/on aurait eu
nous aurions eu
vous auriez eu
ils/elles auraient eu

Être au
conditionnel passé
j'aurais été
tu aurais été
il/elle/on aurait été
nous aurions été
vous auriez été
ils/elles auraient été

Faire au
conditionnel passé
j'aurais fait
tu aurais fait
il/elle/on aurait fait
nous aurions fait
vous auriez fait
ils/elles auraient fait

Rester au
conditionnel passé
je serais resté
tu serais resté
il/on serait resté
elle serait restée
nous serions restés
vous seriez restés
ils seraient restés
elles seraient restées

EXERCICE 6   *Complétez les phrases à l'aide de la liste ci-dessous et conjuguez les verbes aux temps appropriés.*

ne pas avoir mal aux yeux – ne pas avoir le bras enflé – faire des exercices d'échauffement – manger moins de chocolat – ne pas se couper – ne pas se fouler la cheville – ne pas avoir mal à la tête – ne pas avoir mal à l'estomac

1. Si je n'avais pas bu autant de vin, je _____

_____

2. Si elle avait mangé plus lentement, elle _____

_____

3. S'il avait mis ses lunettes, il _____

_____

4. Si vous _____ , vous n'auriez

pas eu mal aux dents.

5. Si tu avais descendu l'escalier prudemment, tu _____

_____

6. Si elle_____ ,

elle n'aurait pas eu de crampe dans la jambe pendant son cours de danse

aérobique.

7. Si elle avait été plus prudente avec son couteau, elle_____

_____

8. Si l'abeille ne l'avait pas piqué, il _____

_____

EXERCICE 7   *Complétez les phrases.*

1. J'ai pris trop de poids. Si j'avais su _____

_____

2. Nous avons trop mangé. Si nous avions su _____

_____

3. Il s'est fait mal au dos. S'il avait su _____

_____

4. Elle a très mal à la tête. Si elle avait su _____

_____

5. Je suis épuisé physiquement et mentalement. Si j'avais su _____

_____

6. Il n'a pas fait attention à son alimentation et maintenant il est malade. S'il
avait su_____

7. J'ai pris un médicament et j'ai une réaction allergique. Si j'avais su _____

_____

8. Elle a fait ses exercices trop rapidement et elle s'est blessée. Si elle avait su

_____

QUAND L'APPÉTIT VA, TOUT VA !

Connaissez-vous les expressions suivantes ?

Bon appétit !

Avoir...	**Manger...**
• un appétit d'oiseau	• à sa faim
• un appétit de loup	• sans appétit
• un creux à l'estomac	• avec excès
• l'estomac dans les talons	• sur le pouce
• l'estomac vide	**Rester...** • sur sa faim
• l'estomac plein	• sur son appétit

À votre santé !

Boire...	**Prendre...**
• comme un trou	• un verre
• un coup	• un coup
• à la santé de quelqu'un	• une goutte d'alcool

EXERCICE 8   *Complétez les phrases avec un des adverbes de quantité.*

très – assez – peu – trop – beaucoup

1. Quand une personne a un appétit d'oiseau, elle mange _____

2. Quand une personne mange avec excès, elle mange _____

3. Quand une personne boit comme un trou, elle boit _____

4. Quand une personne a un appétit de loup, elle mange _____

5. Quand une personne prend une goutte d'alcool, elle boit _____

6. Quand une personne reste sur sa faim, elle ne mange pas _____

7. Quand une personne a l'estomac dans les talons, elle a _____ faim.

8. Quand une personne a l'estomac plein, elle a _____ mangé.

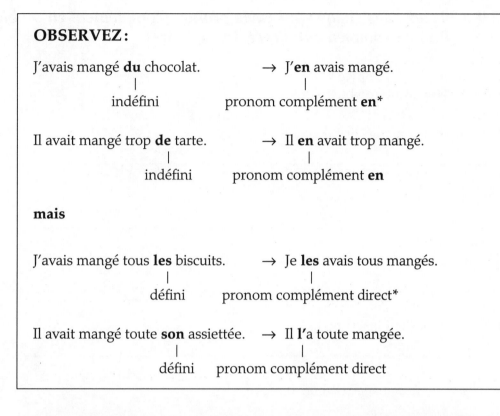

OBSERVEZ :

J'avais mangé **du** chocolat.   → J'**en** avais mangé.
          | |
     indéfini   pronom complément **en***

Il avait mangé trop **de** tarte.   → Il **en** avait trop mangé.
          | |
     indéfini   pronom complément **en**

mais

J'avais mangé tous **les** biscuits.   → Je **les** avais tous mangés.
          | |
     défini   pronom complément direct*

Il avait mangé toute **son** assiettée. → Il **l'**a toute mangée.
          | |
     défini   pronom complément direct

* Les pronoms compléments directs et le pronom *en*
  ☞ Voir les Références grammaticales, pages 181 à 186.

EXERCICE 9   *Placez dans chaque phrase le pronom complément en ou bien un pronom complément direct (le, la, l', les).*

Exemple : Il avait bu trop de vin.
          Il en avait trop bu*.

1. Tu avais tout mangé le pain.

   _____

2. J'aurais repris de la crème glacée.

   _____

3. Il aurait voulu encore de la sauce.

   _____

4. Nous avions fini la tourtière.

   _____

5. Ils avaient trop mangé de hors-d'œuvre.

   _____

6. Elle avait renversé son verre de lait.

   _____

7. Il avait tranché la dinde.

   _____

8. Elle avait servi les invités en premier.

   _____

9. Il avait oublié le fromage sur le comptoir.

   _____

10. Ils auraient vidé les plats.

    _____

---

* L'accord du participe passé avec l'auxiliaire *avoir*
    ☞ Voir les Références grammaticales, page 181.

EXERCICE 10   *Trouvez les pronoms compléments appropriés.*

Sylvie et son mari, Jean-Luc, ont invité Jacques et Marie. Tout le monde est à table...

(MARIE)   – Sylvie, ton repas est délicieux !

(SYLVIE)   – Tant mieux !

(JACQUES)   – Ta sauce aux ananas est succulente. Est-ce que je peux _____ avoir d'autre ?

(SYLVIE)   – Bien sûr !

(JEAN-LUC)   – Marie, passe-moi le beurre, s'il te plaît.

(MARIE)   – Tiens, _____ voilà.

(SYLVIE)   – Jacques, tu as tout mangé ton jambon. _____ veux-tu encore ?

(JACQUES)   – Non merci, mais je prendrais bien d'autre riz.

(SYLVIE)   – Tu _____ aimes ?

(JACQUES)   – Oui. Quelle est ta recette ?

(SYLVIE)   – J'ai simplement haché quelques légumes et je _____ ai mélangés avec du riz blanc.

(JEAN-LUC)   – Il reste du vin. Qui _____ veut ?

(MARIE)   – J' _____ prendrais bien encore une goutte.

(SYLVIE)   – Pour dessert, j'ai préparé une superbe tarte au citron. Jean-Luc, irais-tu _____ chercher s'il te plaît ? Elle est dans le frigo.

(JEAN-LUC)   – Sylvie, où sont les assiettes à dessert ? Je ne _____ trouve pas.

(SYLVIE)   – Elles sont dans l'armoire au-dessus de la cuisinière.

(JEAN-LUC)   – Marie, veux-tu de la tarte ?

(MARIE)   – Oui, j' _____ prendrais bien une petite pointe.

(JEAN-LUC)   – Et toi, Jacques, _____ veux-tu ?

(JACQUES)   – Quelle question ! J' _____ veux une grosse pointe. J'ai un appétit de loup ce soir.

(SYLVIE)   – Jacques, veux-tu du café ?

(JACQUES)   – Oui, j' _____ veux.

(SYLVIE)   – Marie, veux-tu du café ?

(MARIE)   – Oui, j' _____ veux.

(SYLVIE)   – Mets-tu du sucre dans ton café ?

(MARIE)   – Non, je n' _____ mets pas.

EXERCICE 11   *Lisez attentivement.*

Les saines habitudes

Il n'est pas toujours facile d'adopter de saines habitudes. Les horaires de travail chargés, les courses à faire, aller conduire et chercher les enfants font partie des facteurs qui nous empêchent bien souvent de faire de l'exercice et de prendre des repas équilibrés. Prenons le cas de Roger. Depuis des années, Roger néglige sa santé. Il mange en vitesse sur le coin de la table, il ne fait pas d'exercice physique et son seul loisir est de regarder la télévision. Depuis quelques mois, Roger ne se sent pas bien. Il manque d'énergie, il lui arrive de faire de l'insomnie, sa digestion est lente, il est très stressé et sa pression artérielle est parfois trop élevée. Roger a consulté un médecin qui l'a soigneusement examiné. Après les examens, le médecin a dit à Roger qu'il n'avait rien de grave, mais qu'il devrait faire plus attention à sa santé s'il ne voulait pas vraiment tomber malade.

Après sa visite chez le médecin, Roger a décidé d'adopter de saines habitudes. Il veut mieux manger, faire plus d'exercice et avoir une attitude plus positive. Après avoir consulté différentes personnes qui ont un régime de vie équilibré, Roger est revenu à la maison avec une liste de suggestions, mais il a besoin de votre aide...

Répondez aux questions suivantes.

1. Roger n'est pas un très bon cuisinier. Sur sa liste, il a mélangé les recettes et il ne sait plus comment les préparer. Aidez-le à retrouver les ingrédients et le mode de préparation pour chacune des recettes.

   Ingrédients :
   des épinards – du thon – de la sauce tomate – un kiwi – des cerises – de la vinaigrette légère – une tomate – de l'huile d'olive – du fromage râpé – de la laitue – une banane – une pomme – du spaghetti – une orange – une gousse d'ail – une poire

   Mode de préparation :
   détacher des feuilles de laitue – faire bouillir de l'eau – verser la préparation sur le spaghetti – couper les fruits en petits morceaux – ajouter la vinaigrette – mettre les pâtes dans l'eau bouillante – faire chauffer l'huile – faire revenir l'ail et les épinards – ajouter la sauce tomate – placer les ingrédients dans un saladier – saupoudrer de fromage râpé – émietter le thon – servir la salade dans une coupe à dessert – couper la tomate en dés – bien mélanger – égoutter les pâtes – bien mélanger tous les fruits

a) spaghetti aux épinards :

ingrédients   mode de préparation

_____   _____

_____   _____

_____   _____

_____   _____

_____   _____

_____   _____

                                           _____

b) salade de thon :

ingrédients   mode de préparation

_____   _____

_____   _____

_____   _____

_____   _____

                                           _____

                                           _____

c) salade de fruits :

ingrédients   mode de préparation

_____   _____

_____   _____

_____   _____

_____

_____

2. Sur sa liste, Roger a noté plusieurs cours qu'il pourrait suivre. Cependant, il aimerait savoir en quoi les activités suivantes pourraient lui être utiles. Parmi la liste ci-dessous, indiquez-lui les caractéristiques dominantes de chaque activité.

souplesse musculaire – stimulation de la circulation sanguine – détente – meilleure concentration – maîtrise physique – tonus musculaire – coordination – techniques de respiration – meilleurs réflexes – harmonie du corps et de l'esprit

a) la danse aérobique :

_____

_____

b) l'escrime :

_____

_____

c) le tennis :

_____

_____

d) le yoga :

_____

_____

e) la natation :

_____

_____

f) le karaté :

_____

_____

EXERCICE 12 *Lisez attentivement.*

L'attitude positive et ses bienfaits

Il est de plus en plus connu que d'avoir une attitude positive influence beaucoup notre état de santé et celui de nos proches. Le test est facile à faire : un matin, arrivez au bureau les épaules recourbées, le visage allongé et observez l'attitude de vos collègues. Ils éviteront d'aller vous parler ou ceux qui oseront vous adresser la parole vous demanderont si vous êtes malade ou si vous avez des problèmes. Toutefois, si vous étiez arrivé les épaules bien droites, le sourire accroché aux lèvres tout en marchant gaiement, vos collègues vous auraient dit bonjour, ils vous auraient raconté des anecdotes et ils n'auraient pas eu peur de vous adresser la parole.

Certains chercheurs ont démontré que les émotions de joie et de tristesse contribuent à produire des substances qui ont un effet direct sur le fonctionnement de notre organisme. De telles constatations nous invitent à réfléchir sérieusement sur le comportement que nous avons dans le quotidien. Il va sans dire qu'il n'est pas toujours facile d'avoir une attitude positive : il y a des événements qui sont parfois pénibles à vivre et durant lesquels il est pratiquement impossible de demeurer positif. Cependant, si vous dressez la liste des événements très pénibles de votre vie, vous verrez qu'ils ne sont pas si nombreux que ça. Mais si vous dressez une seconde liste dans laquelle vous indiquez les circonstances où vous avez eu une attitude négative sans raison valable, vous constaterez que cette dernière liste est probablement beaucoup plus longue que la première.

Faire preuve d'une attitude positive ne veut pas dire qu'il faut être joyeux quand on se foule une cheville, qu'il faut féliciter son enfant parce qu'il vient de briser la lampe du salon ou qu'il faut exploser de rire parce qu'on s'est fait voler son portefeuille ! L'attitude positive pourrait se définir comme un état de bien-être mental, un peu comme si en fermant les yeux, vous pouviez voir votre esprit sourire.

Répondez aux questions sur le texte.

1. Quel est le sujet du texte ?

   _____

2. Dans le premier paragraphe :

   a) un verbe est conjugué au plus-que-parfait de l'indicatif. Nommez-le.

   _____

b) trois verbes sont conjugués au conditionnel passé. Nommez-les.

_____

_____

_____

3. Dans le premier paragraphe, trouvez un synonyme de **cependant**.

_____

4. Le texte fait mention de deux émotions qui ont une influence sur l'organisme. Nommez-les.

_____

5. Dans le deuxième paragraphe, trouvez une expression qui est synonyme de l'expression **il est évident que...**

_____

6. Dans le deuxième paragraphe, trouvez un synonyme de **douloureux**.

_____

7. Le texte vous invite à dresser deux listes. Que faut-il inscrire sur chacune des listes ?

   a) Sur la première liste, il faut _____

   _____

   b) Sur la seconde liste, il faut _____

   _____

   _____

8. Dans le deuxième paragraphe, on trouve les pronoms relatifs **lesquels** et **laquelle** :

   a) **lesquels** représente quel mot ? _____

   b) **laquelle** représente quel mot ? _____

9. Dans le dernier paragraphe, trouvez une expression synonyme de **avoir une attitude positive**.

_____

10. Comment l'attitude positive est-elle définie dans le texte ?

_____

THÈME 2
Les qualités et les défauts

RÉVISION   ***Répondez aux questions.***

1. Répondez aux questions en utilisant le pronom complément approprié.

   a) Est-ce qu'elle ressemble à sa sœur ?

   Oui, _____

   b) Est-ce qu'ils ressemblent à leur père ?

   Oui, _____

   c) Est-ce qu'il ressemble à ses parents ?

   Oui, _____

   d) Est-ce que tu ressembles à ta mère ?

   Non, _____

   e) Est-ce qu'elle ressemble à son père ?

   Non, _____

2. Conjuguez le verbe **être** au subjonctif présent.

   que je _____   que nous _____

   que tu _____   que vous _____

   qu'il/elle/on _____   qu'ils/elles _____

3. Trouvez l'antonyme (le contraire) des adjectifs suivants.

   a) gentil : _____

   b) poli : _____

   c) pessimiste : _____

   d) distrait : _____

   e) turbulent : _____

4. Mettez au féminin les adjectifs suivants.

    a) nerveux : _____

    b) attentif : _____

    c) têtu : _____

    d) prudent : _____

    e) distrait : _____

LES PARTIES DU CORPS HUMAIN ET LA PERSONNALITÉ

Il n'a pas la langue dans sa poche.

Il a du front.

Il a les mains pleines de pouces.

Il n'a pas froid aux yeux.

Il met du cœur à l'ouvrage.

Il ne sait pas sur quel pied danser.

Il ne voit pas plus loin que le bout de son nez.

Il fourre son nez partout.

EXERCICE 1   *Associez chacun des traits de caractère suivants avec une des expressions.*

être borné – être effronté – être brave – être maladroit – être indécis – être curieux – être bavard – être travailleur

1. Ne pas avoir la langue dans sa poche.

   _____

2. Avoir du front.

   _____

3. Avoir les mains pleines de pouces.

   _____

4. Ne pas avoir froid aux yeux.

   _____

5. Mettre du cœur à l'ouvrage.

   _____

6. Ne pas savoir sur quel pied danser.

   _____

7. Ne pas voir plus loin que le bout de son nez.

   _____

8. Fourrer son nez partout.

   _____

LE TEMPÉRAMENT

EXERCICE 2   *Parmi les expressions suivantes, trouvez celle qui correspond à chaque dessin.*

- C'est un enfant gâté.
- C'est une perle rare.
- C'est un vrai bourreau de travail.
- Ils parlent dans son dos.
- Il a une conduite exemplaire.
- Elle a une patience d'ange.
- Elles ne peuvent pas se sentir.
- Il tape sur les nerfs de tout le monde.

1. _____

2. _____

3. _____

4. _____

5. _____

6. _____

7. _____

8. _____

EXERCICE 3   ***Dans la liste ci-dessous, trouvez, dans chaque cas, l'adjectif quali-
ficatif* qui correspond le mieux à la définition et accordez-le
avec le sujet.***

ambitieux – craintif – exigeant – acharné – désespéré – cultivé – négligent –
décidé – prétentieux – détestable

1. Il est réduit au désespoir.

   Il est_____

2. Ils prétendent des choses sans nécessairement convaincre les autres.

   Ils sont_____

3. Elle sait beaucoup de choses, elle a de la culture.

   Elle est_____

4. Il agit de façon à ce qu'on le déteste.

Il est _____

5. Elle manifeste de la crainte.

Elle est _____

6. Sa décision est prise.

Il est _____

7. Ils ont de l'ambition.

Ils sont _____

8. Il ne veut jamais arrêter, il continue avec acharnement.

Il est _____

9. Elle néglige son travail.

Elle est _____

10. Il exige beaucoup des autres.

Il est _____

* Les adjectifs qualificatifs
☞ Voir les Références grammaticales, pages 171 à 174.

LES AGISSEMENTS

AGIR ET SE COMPORTER

Agir et **se comporter** sont deux verbes qu'on utilise souvent pour décrire le comportement d'une personne.

> ### OBSERVEZ :
>
> Cet enfant ne respecte pas les règlements de l'école.
> - Il agit mal.
>
>   ou
> - Il se comporte mal.
>
> Nous n'avons pas été honnêtes avec nos clients.
> - Nous avons mal agi.
>
>   ou
> - Nous nous sommes mal comportés.
>
> Ce restaurateur était poli avec tout le monde.
> - Il agissait bien.
>
>   ou
> - Il se comportait bien.

AGIR BIEN/MAL/MIEUX

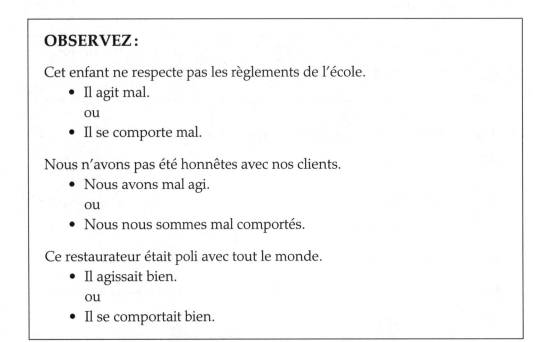

Agir au présent
j'agis
tu agis
il/elle/on agit
nous agissons
vous agissez
ils/elles agissent

Agir au passé composé
j'ai agi
tu as agi
il/elle/on a agi
nous avons agi
vous avez agi
ils/elles ont agi

SE COMPORTER BIEN/MAL/MIEUX

Se comporter
au présent
je me comporte
tu te comportes
il/elle/on se comporte
nous nous comportons
vous vous comportez
ils/elles se comportent

Se comporter
au passé composé
je me suis comporté
tu t'es comporté
il/on s'est comporté
elle s'est comportée
nous nous sommes comportés
vous vous êtes comportés
ils se sont comportés
elles se sont comportées

OBSERVEZ :

Comment se comporte-t-il ?

– Il se comporte...
- bien
- mal
- mieux

Bien, **mal** et **mieux** sont des adverbes de manière*.

On pourrait aussi répondre :

– Il se comporte...
- poliment
- nerveusement
- prudemment

En français, il existe beaucoup d'adverbes de manière qui se terminent en **-ment**.

---

* Les adverbes de manière
☞ Voir les Références grammaticales, pages 224 et 225.

EXERCICE 4   *Conjuguez les verbes* agir *et* se comporter *aux temps appropriés.*

1. Il (se comporter) _____ mieux qu'avant.

2. Elle (se comporter) _____ mieux si elle se sentait appréciée.

3. Ils n'(agir) _____ pas comme ils le font s'ils étaient moins stressés.

4. Hier, vous (se comporter) _____ mal _____ devant le directeur.

5. Si j'avais su, je n'(agir)_____ pas _____ comme je l'ai fait.

6. S'il m'avait prévenu que cet homme était son patron, je (se comporter) _____ mieux que ça !

7. À l'avenir, il faudrait que nous (se comporter)_____ mieux quand nous devons régler des problèmes.

8. Il faut que vous (agir)_____ avec prudence.

9. Si tu (agir) _____ bien, tu seras récompensé.

10. Si tu (se comporter) _____ mal, tu seras puni.

LA FORMATION DES ADVERBES QUI SE TERMINENT EN -MENT

1. Règle générale : On ajoute le suffixe **-ment** au féminin de l'adjectif.

   Exemples :

Masculin	Féminin	Adverbe
attentif	attentive	attentivement
nerveux	nerveuse	nerveusement
courageux	courageuse	courageusement

2. Pour les adjectifs qui, au masculin, se terminent par une voyelle, on ne place pas le **e** féminin dans l'adverbe.

   Exemples :

Masculin	Adverbe
poli	poliment
vrai	vraiment

3. Certains adverbes se terminent par **-ément** au lieu de **-ement**.

   Exemples :   énormément
   profondément
   précisément

4. Aux adjectifs en **-ant** et **-ent** correspondent des adverbes en **-amment** et **-emment**.

   Exemples :

Masculin	Adverbe
élégant	élégamment
négligent	négligemment

   Exceptions :

Masculin	Adverbe
lent	lentement
présent	présentement

EXERCICE 5   *Dans chaque cas, complétez la seconde phrase en trouvant l'adverbe qui correspond à l'adjectif de la première phrase.*

Exemple : Il parle d'une manière lente.
          Il parle lentement.

1. Il écoute d'une manière attentive.

   Il écoute _____

2. Il agit d'une manière nerveuse.

   Il agit _____

3. Il s'exprime d'une manière claire.

   Il s'exprime _____

4. Il travaille d'une manière intelligente.

   Il travaille _____

5. Il étudie d'une manière sérieuse.

   Il étudie _____

6. Il attend d'une manière patiente.

   Il attend _____

7. Il réagit d'une manière calme.

   Il réagit _____

8. Il se comporte d'une manière hypocrite.

   Il se comporte _____

9. Il réfléchit d'une manière tranquille.

   Il réfléchit _____

10. Il agit d'une manière égoïste.

    Il agit _____

UN PEU PLUS, UN PEU MOINS, BEAUCOUP PLUS, BEAUCOUP MOINS

Ces adverbes de quantité (ou d'intensité) peuvent vous permettre de **préciser votre pensée** lorsque vous parlez à quelqu'un. Observez l'exemple suivant :

Il faudrait que tu sois...
- **un peu plus** sérieux
- **un peu moins** sérieux
- **beaucoup plus** sérieux
- **beaucoup moins** sérieux

EXERCICE 6   *Complétez les phrases en choisissant dans la liste la conséquence qui convient le mieux à la première partie de chaque phrase. N'oubliez pas de conjuguer les verbes aux temps appropriés.*

échouer son examen – avoir un ulcère d'estomac – dire à quelqu'un de se taire – porter plainte – perdre son emploi

1. Il faudrait que tu sois un peu plus ponctuel, sinon* tu _____
   _____

2. Il faudrait que nous soyons beaucoup plus sérieux, sinon nous _____
   _____

3. Il faudrait qu'elle soit un peu moins bavarde, sinon le professeur _____
   _____

4. Il faudrait que vous soyez beaucoup moins agressif, sinon les clients _____
   _____

5. Il faudrait qu'il soit beaucoup plus calme, sinon il _____
   _____

> *** La conjonction *sinon***
> ☞ Voir les Références grammaticales, pages 241 et 242.

EXERCICE 7   ***Dans chacune des situations suivantes, comment expliqueriez-vous à la personne qu'elle devrait agir différemment ?***

Voici quelques expressions qui pourraient vous être utiles :

— J'apprécierais que vous (verbe conjugué au subjonctif présent)...
— J'aimerais que vous (verbe conjugué au subjonctif présent)...
— Est-ce que vous pourriez (verbe à l'infinitif présent)...
— Il faudrait que vous (verbe conjugué au subjonctif présent)...
— Pensez-vous qu'il serait possible de (verbe à l'infinitif présent)...
— Je vous serais très reconnaissant(e) si vous pouviez (verbe à l'infinitif présent)...

1. Vous voudriez que votre secrétaire agisse plus poliment avec les clients et qu'elle n'appelle plus ses amies pendant les heures de bureau. Comment lui diriez-vous ?

   _____

   _____

   _____

   _____

2. Un de vos employés arrive souvent en retard au travail et il fait souvent des erreurs quand il remplit ses rapports. Comment lui diriez-vous d'agir plus professionnellement ?

   _____

   _____

   _____

   _____

3. Un enfant que vous connaissez donne des coups de pied, des coups de poing et il crie des bêtises aux autres enfants. Comment lui diriez-vous de se comporter plus respectueusement ?

   _____

   _____

   _____

   _____

4. Votre voisin a une piscine. Presque tous les soirs d'été, il invite des amis. Ils mettent de la musique, ils crient et ils claquent les portes. Tout ce bruit empêche vos enfants de dormir. Comment lui diriez-vous d'agir plus discrètement avec ses invités ?

   _____

   _____

   _____

   _____

> **OBSERVEZ :**
>
> Comment trouves-tu **Jocelyn** ?
> – Je **le** trouve sympathique.
>
> Comment trouvez-vous **Sophie** ?
> – Nous **la** trouvons très aimable.
>
> Comment trouve-t-il **ses nouveaux patrons** ?
> – Il **les** trouve exigeants.

EXERCICE 8   *Répondez aux questions en utilisant les pronoms compléments directs* **le, la, l'** *ou* **les.**

1. Comment trouvez-vous votre directrice ?

   Nous _____ trouvons gentille.

2. Comment ont-ils trouvé leur professeur ?

   Ils _____ ont trouvé sévère.

3. Comment avez-vous trouvé Jean-Claude aujourd'hui ?

   Nous _____ avons trouvé nerveux.

4. Comment trouves-tu mon nouveau copain ?

   Je _____ trouve très sympathique.

5. Comment trouvaient-elles les gens dans ce pays ?

   Elles _____ trouvaient très chaleureux.

6. Comment trouvez-vous les deux nouveaux employés ?

   Nous _____ trouvons très travailleurs.

EXERCICE 9   *Répondez aux questions en utilisant le pronom complément* **en.**

1. Quand vous alliez à l'école, est-ce que vous aviez de la difficulté en mathématiques ?

   Oui, j' _____
   ou
   Non, je _____

2. Quand vous étiez jeune, est-ce que vous jouiez des tours à vos parents ?

   Oui, j' _____
   ou
   Non, je _____

3. Avez-vous des gros défauts ?

   Oui, j' _____
   ou
   Non, je _____

4. Avec les années, avez-vous développé des qualités que vous n'aviez pas quand vous étiez plus jeune ?

   Oui, j' _____
   ou
   Non, je _____

5. Avez-vous de la facilité à vous exprimer en public ?

   Oui, j' _____
   ou
   Non, je _____

EXERCICE 10   *Lisez attentivement.*

À chacun sa personnalité !

Bien que chaque individu soit unique, il est cependant possible d'établir des types de personnalité sous lesquels on peut regrouper des personnes, indépendamment de leur âge et de leur milieu social. Il y a quatre types de personnalité que l'on rencontre souvent : l'analytique, l'actif, le colérique et le distrait. Afin de les découvrir un peu plus, voyons comment ces quatre types peuvent réagir très différemment dans une même situation. Supposons donc que l'individu a perdu ses clés.

L'analytique qui perd ses clés reste calme. Il s'assoit et il réfléchit méthodiquement. Il va se poser des questions comme : « Quand est-ce que j'ai utilisé mes clés pour la dernière fois ? » ; « Où est-ce que je les ai déposées ? », etc. L'analytique n'a pas l'habitude de paniquer. Il aime résoudre des problèmes et il agira un peu comme les grands détectives, convaincu qu'il retrouvera ses clés dans quelques minutes.

Dès qu'il réalise qu'il a égaré ses clés, l'actif va immédiatement faire le tour de toutes les pièces de la maison pour les retrouver. Après quelques minutes, l'actif deviendra nerveux et impatient. Il a besoin de ses clés parce qu'il veut se rendre à un endroit et il ne supporte pas l'idée d'être retardé. Si l'actif n'arrive pas à retrouver ses clés d'automobile et ses clés de maison dans un délai de quelques minutes, il va régler son problème en quittant la maison sans verrouiller la porte et en empruntant la voiture de quelqu'un d'autre.

Un colérique qui perd ses clés est comparable à un volcan en éruption. Il devient instantanément de mauvaise humeur, il crie au lieu de parler et il est convaincu de vivre une catastrophe. La première réaction du colérique est d'accuser les autres. Il va questionner toutes les personnes qui sont dans la maison pour trouver qui est le ou la coupable. Le colérique est fâché parce qu'il a l'habitude de toujours placer ses clés au même endroit et il ne peut pas comprendre comment ses clés ont pu disparaître ! Le malheur avec un colérique est qu'il sera d'une humeur massacrante tant et aussi longtemps qu'il ne retrouvera pas ses clés.

Pour le distrait, égarer ses clés est un fait banal. Il va fouiller à gauche et à droite un peu partout dans la maison. Au bout d'un certain temps, il est possible qu'il soit un peu angoissé. Il va se demander pourquoi il est si désordonné et il va prendre la résolution d'avoir plus d'ordre dans l'avenir. Cependant, aussitôt qu'il retrouvera ses clés, le distrait oubliera sa bonne résolution jusqu'à la prochaine fois...

Répondez aux questions sur le texte.

1. Nommez les quatre types de personnalité dont il est question dans le texte.

   _____   _____

   _____   _____

2. Dans quelle situation a-t-on placé les personnes afin de comparer leur réaction ?

   _____

   _____

3. Dans le premier paragraphe, on trouve l'adverbe **indépendamment**. Trouvez l'adjectif qui est de la même famille.

   _____

4. À qui compare-t-on une personne de type analytique, qui doit résoudre un problème ?

   _____

5. Dans le second paragraphe, trouvez l'adverbe qui correspond à l'adjectif **méthodique**.

   _____

6. Dans le troisième paragraphe, trouvez un synonyme de **aussitôt**.

   _____

7. Qu'est-ce qu'une personne active ne peut pas supporter ?

   _____

8. À quoi compare-t-on un colérique qui a perdu ses clés ?

   _____

9. Quelle est la première réaction d'un colérique ?

   _____

10. Quelle phrase du quatrième paragraphe indique que de perdre ses clés n'est pas quelque chose d'exceptionnel dans la vie d'un distrait ?

   _____

THÈME **3**
La météo

RÉVISION   *Répondez aux questions.*

   1. Complétez les phrases à l'aide des illustrations.

   a)   Le temps est o_ _ _ _ _ _ .   b)   Il fait une chaleur é_ _ _ _ _ _ _ _ _ .

   c)   Le temps est c_ _ _ _ _ _ .   d)   Elle prend un b _ _ _ _ _ _ _ _ _ _ _ .

2. Conjuguez les verbes suivants.

a) (neiger/prés.)   Il_____

b) (venter/passé c.)   Il_____

c) (pleuvoir/imparf.)   Il_____

d) (grêler/fut. simple)   Il_____

e) (s'éclaircir/prés.)   Le temps _____

f) (s'ennuager/passé c.)   Le temps _____

g) (faire froid/imparf.)   Il_____

h) (faire beau/fut. simple) Il_____

3. Complétez les phrases suivantes.

a) S'il vente, nous (faire de la planche à voile) _____

_____

b) S'il neige, elles (faire du ski) _____

_____

c) S'il fait froid, nous (rester à la maison)_____

_____

4. Répondez aux questions suivantes.

a) Quel temps faisait-il quand vous êtes allés en ski ?

(faire beau) _____

b) Quel temps faisait-il quand tu t'es réveillé ?

(pleuvoir) _____

c) Pourquoi êtes-vous restés à la maison ?

(faire froid) _____

AVEZ-VOUS VU ?

Le temps est superbe !

Il fait un temps de chien !

Le ciel est étoilé.

C'est la pleine lune.

Il y a un arc-en-ciel.

Quel magnifique coucher de soleil !

LES CAPRICES DE DAME NATURE

D'un bout à l'autre de la terre, nous sommes tous exposés aux caprices de Dame Nature. Même si les météorologues peuvent prévoir le temps qu'il fera dans les jours à venir, nous restons soumis, malgré tout, à ce que la nature a décidé de nous offrir.

EXERCICE 1   *À l'aide des listes suivantes, définissez le mieux possible chacun des phénomènes météorologiques ainsi que les dommages qu'ils peuvent causer. (Vous pouvez ajouter des idées qui ne figurent pas nécessairement dans les listes.)*

Caractéristiques :
vent glacial – vent très violent – orages – bourrasque de vent tourbillonnant – chutes de neige abondante – forte pluie – absence de précipitations atmosphériques – poudrerie – soleil de plomb

Dommages :
arbres déracinés – pannes de courant – perte des récoltes – toits arrachés – manque d'eau potable – accidents routiers – troupeaux d'animaux malades – vitres brisées

1. un ouragan :

_____

_____

_____

_____

_____

_____

2. une tornade :

_____

_____

_____

_____

_____

_____

3. une tempête de neige :

_____

_____

_____

_____

_____

4. une période de sécheresse :

_____

_____

_____

_____

_____

EXERCICE 2   *On vous annonce qu'un ouragan se dirige dans votre secteur. Parmi les objets qui figurent ci-dessous, lesquels choisirez-vous pour vous préparer avant la tempête ? Justifiez vos choix.*

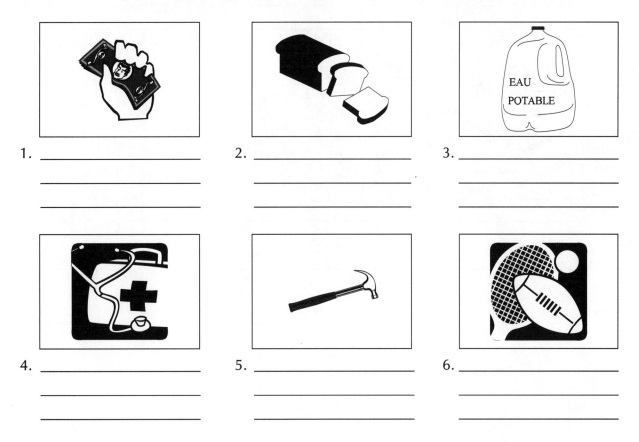

1. _____

_____

_____

2. _____

_____

_____

3. _____

_____

_____

4. _____

_____

_____

5. _____

_____

_____

6. _____

_____

_____

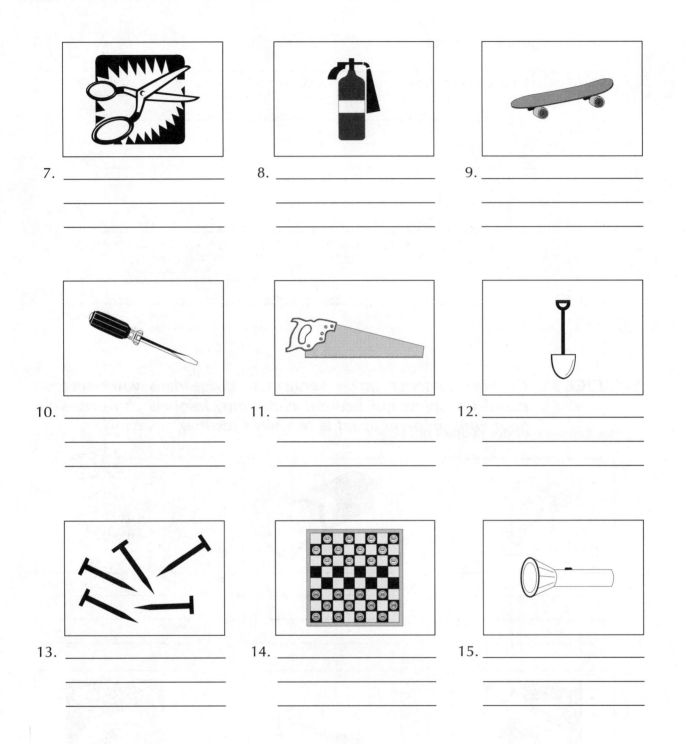

7. _____

_____

_____

8. _____

_____

_____

9. _____

_____

_____

10. _____

_____

_____

11. _____

_____

_____

12. _____

_____

_____

13. _____

_____

_____

14. _____

_____

_____

15. _____

_____

_____

LE CLIMAT

Le climat a une grande influence sur la vie des gens. Une personne qui vit dans une région très froide n'aura pas les mêmes habitudes ni les mêmes activités qu'une personne qui vit dans une région très chaude. Selon vous, s'il était possible de contrôler les conditions climatiques, quel climat serait idéal pour l'ensemble des êtres humains ?

EXERCICE 3   ***Complétez les textes à l'aide des adjectifs ci-dessous. (Les adjectifs doivent être accordés avec les noms auxquels ils se rapportent.)***

désertique – continental – régulier – sec – tropical – insulaire – froid – glacial – aride – équatorial – élevé – abondant

1. L'Arctique

   Dans cette vaste région _____ et _____ , le climat est très _____ . Les Inuits et les Lapons sont des peuples qui vivent depuis très longtemps dans cette région aux températures _____

2. Le Sahara

   Dans cette région _____ , les cultures sont impossibles (sauf dans les oasis) à cause du climat _____ et _____ . Certains nomades, dont les Maures et les Touaregs, y font l'élevage des chameaux.

3. L'Amazonie

   Cette vaste région de l'Amérique du Sud a un climat _____ . On y trouve une végétation verdoyante grâce aux températures _____ et aux pluies _____ et _____

4. Les Antilles

Cet archipel qui s'étend entre l'océan Atlantique et la mer des
Antilles a un climat _____ . Ce type de climat per-
met de cultiver, entre autres, la canne à sucre, les bananes, le café
et les agrumes. Les vents _____ , appelés alizés,
apportent des pluies plus ou moins _____

**FAIRE – PLEUVOIR – NEIGER – VENTER
AU PLUS-QUE-PARFAIT**

Il avait fait... • beau
              • mauvais
              • chaud
              • froid

Il avait plu
Il avait neigé
Il avait venté

EXERCICE 4   *Conjuguez les verbes aux temps appropriés.*

1. S'il (faire beau) _____ , nous aurions pu
jouer au tennis.

2. S'il (ne pas venter) _____ , nous aurions
joué au badminton.

3. S'il (neiger moins fort) _____ , nous aurions
marché jusqu'au magasin.

4. S'il (ne pas pleuvoir) _____ , nous nous
serions baignés.

5. S'il (faire moins froid) _____ , serait-elle
venue skier avec nous ?

6. S'il (faire plus beau) _____ , serait-il allé
travailler ?

EXERCICE 5   *Complétez les phrases suivantes.*

1. Si j'avais vécu au bord de la mer, _____

_____

2. Si j'étais né(e) dans les Alpes, _____

_____

3. Si j'avais habité en Amazonie, _____

_____

4. Si mes parents avaient habité dans l'Arctique, _____

_____

5. Si j'avais été obligé(e) d'aller vivre dans le Sahara, _____

_____

6. Si j'avais eu la chance d'aller vivre dans les Antilles, _____

_____

**FAIRE – PLEUVOIR – NEIGER – VENTER
AU SUBJONCTIF PRÉSENT**

...qu'il fasse   • beau
              • mauvais
              • chaud
              • froid

...qu'il pleuve
...qu'il neige
...qu'il vente

NOTEZ :

Il est possible que..., souhaiter que..., aimer que... et **vouloir que...** font partie des expressions qui introduisent le subjonctif présent.

Le subjonctif présent
☞ Voir les Références grammaticales, pages 212 et 213.

EXERCICE 6   *Conjuguez les verbes au subjonctif présent et complétez les phrases.*

1. Je souhaite qu'il (faire) _____ beau samedi prochain, car _____

    _____

2. Il est possible qu'il (pleuvoir) _____ ce soir, alors_____

    _____

3. Ils aimeraient qu'il (neiger) _____ beaucoup cet hiver parce que_____

    _____

4. Je voudrais qu'il (faire) _____ beau et chaud toute l'année, car _____

    _____

EXERCICE 7   *Dans la liste, trouvez l'expression qui convient le mieux pour compléter chacune des phrases.*

faire aérer – se mettre à l'abri – se mettre à l'ombre – prendre l'air – prendre froid

1. Pendant que vous vous promenez avec un ami, il commence à pleuvoir
    très fort. Vous pourriez dire : « Nous devrions _____
    _____ sous cet arbre et attendre que la pluie cesse. »

2. Pendant une fête qui a lieu dans une maison privée, vous avez très chaud
    et vous désirez aller dehors. Vous pourriez dire : « Je vais aller _____
    _____ quelques minutes. »

3. C'est l'hiver et vos enfants ont ouvert toutes les fenêtres de la maison. Vous
    pourriez leur dire : « Faites attention ! Vous allez _____
    _____ . »

4. Dans l'appartement d'un de vos amis, il fait très chaud. Vous pourriez lui
    dire : « Tu devrais _____ un peu, on étouffe ici ! »

5. Vous désirez faire un pique-nique avec votre famille et il fait un soleil de
    plomb. Vous pourriez dire : « Nous devrions _____ ,
    il fera moins chaud. »

EXERCICE 8   *Un gros coup de vent a mélangé les lettres. Replacez-les.*

1. Quand il vente fort, la mer est (é i t g e a) _____

2. Il y a des arcs-en-ciel après la (l i p e u) _____

3. Le mélange de la terre avec de l'eau s'appelle de la (o b e u) _____

4. L'eau qui est congelée s'appelle de la (l a e g c) _____

5. Quand le temps est très humide et qu'il y a une sorte de nuage près du sol
qui bloque la vue, on dit qu'il y a de la (m r b e u) _____

EXERCICE 9   *Répondez aux questions en utilisant un pronom complément direct (le, la, l', les), faites l'accord approprié du participe passé et complétez les phrases.*

1. Où avais-tu mis tes lunettes de soleil ?

Je _____ avais mis____ sur _____

2. Pourquoi avais-tu apporté ton parapluie ?

Je _____ avais apporté____ parce que _____

_____

3. Est-ce que j'aurais dû apporter ma veste de laine ?

Oui, tu aurais dû _____ apporter, car _____

_____

4. Est-ce qu'on devrait ouvrir le parasol ?

Oui, on devrait _____ ouvrir, sinon _____

_____

5. Si tu avais su qu'il faisait aussi froid, est-ce que tu aurais mis ta tuque ?

Oui, je _____ aurais mis____ parce que _____

_____

6. Pourquoi est-ce qu'ils n'ont pas apporté leurs skis ?

Ils ne _____ ont pas apporté____ parce qu'ils_____

_____

7. Où aviez-vous caché mes bottes ?

Nous _____ avions caché _____

EXERCICE 10 *Lisez attentivement.*

Les prévisions météorologiques

Depuis le tout début des temps, l'Homme a observé certains phénomènes dans la nature qui lui ont permis de prévoir, plus ou moins précisément, le temps qu'il fera. À l'époque de nos ancêtres, les prévisions météorologiques ressemblaient à ce qui suit : si les abeilles font leur nid bas, il y aura peu de neige pendant l'hiver alors que si elles construisent leur nid haut, il y aura beaucoup de neige ; si les chiens et les chats dorment très agités, il fera mauvais ; si les écureuils ramassent beaucoup de noisettes à l'automne, il tombera beaucoup de neige durant l'hiver ; s'il y a beaucoup d'araignées dans la maison, l'automne sera beau ; si les grenouilles et les crapauds coassent le soir, il fera beau ; si le ciel est jaune et brillant au coucher du soleil, il ventera beaucoup.

Depuis une centaine d'années, la météorologie scientifique s'est beaucoup développée, ce qui a permis de connaître encore plus précisément le temps qu'il fera. Les météorologues s'intéressent aux différents phénomènes atmosphériques et nous présentent maintenant des cartes météorologiques très détaillées. Au lieu de parler en termes d'abeilles, d'écureuils et de grenouilles, on nous parle en termes de dépressions, de vents, de nuages et de précipitations.

Les prévisions météorologiques sont très précieuses pour les personnes qui travaillent dans des domaines où les conditions atmosphériques ont une influence directe sur leurs décisions (les contrôleurs aériens, les cultivateurs, les marins, etc.). Les prévisions du temps permettent aussi d'avoir un meilleur contrôle de la situation lors de catastrophes (un ouragan, une tornade, un feu de forêt, etc.).

Néanmoins, les bulletins météorologiques n'ont pas toujours un bon effet sur le moral des gens. Quoi de plus déprimant que d'apprendre à la radio qu'il pleuvra et ventera toute la fin de semaine alors qu'on avait prévu une activité en plein air ! Quoi de plus contrariant que de regarder le bulletin météorologique à la télé un soir du mois de novembre et d'apprendre que le lendemain il y aura une grosse tempête de neige, alors qu'on n'a même pas encore installé les pneus d'hiver sur la voiture ! Toutefois, lorsqu'on prévoit du mauvais temps, il ne faut jamais désespérer : il est toujours possible que Dame Nature joue des tours aux météorologues en faisant briller le soleil, alors qu'on attendait les nuages.

Répondez aux questions sur le texte.

1. Nommez les animaux qui permettaient de prévoir s'il tomberait beaucoup de neige pendant l'hiver.

   _____

2. À l'époque de nos ancêtres, que pouvait signifier le fait qu'il y avait beaucoup d'araignées dans la maison ?

   _____

3. Dans le premier paragraphe, quel verbe est utilisé pour désigner le cri des grenouilles et des crapauds ?

   _____

4. Comment appelle-t-on les personnes qui étudient les phénomènes atmosphériques ?

   _____

5. Nommez deux des quatre phénomènes atmosphériques mentionnés dans le texte.

   _____

6. Pourquoi dit-on que les prévisions météorologiques sont précieuses pour les contrôleurs aériens, les cultivateurs et les marins ?

   _____

7. Pourquoi est-il utile de prévoir l'arrivée d'un ouragan ou d'une tornade ?

   _____

8. Dans le dernier paragraphe, nommez les deux adjectifs qui indiquent que les prévisions météorologiques peuvent causer un mauvais effet sur le moral des gens.

   _____

9. Dans le dernier paragraphe, quelle expression indique que les météorologues ont parfois de la difficulté à prévoir précisément le temps qu'il fera ?

   _____

10. Dans le dernier paragraphe, deux mots pourraient être facilement remplacés par le mot **cependant**. Nommez-les.

   _____

RÉVISION   *Répondez aux questions.*

1. Identifiez les véhicules suivants.

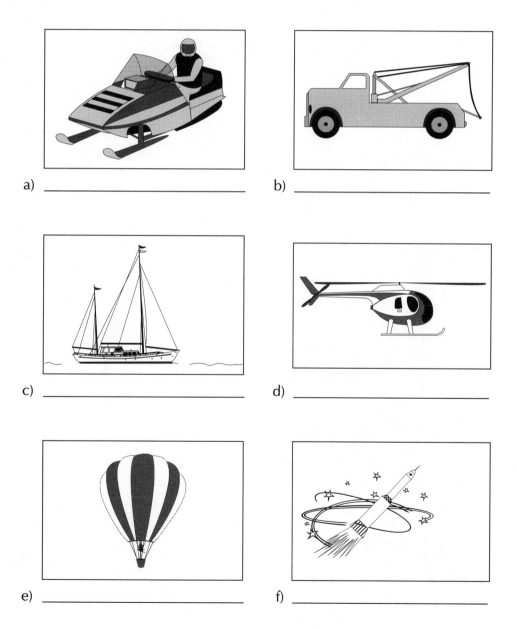

a) _____   b) _____

c) _____   d) _____

e) _____   f) _____

2. Conjuguez les verbes suivants à l'imparfait.

a) aller

b) conduire

c) prendre

3. Nommez les quatre points cardinaux.

4. Identifiez les choses suivantes.

a) _____

b) _____

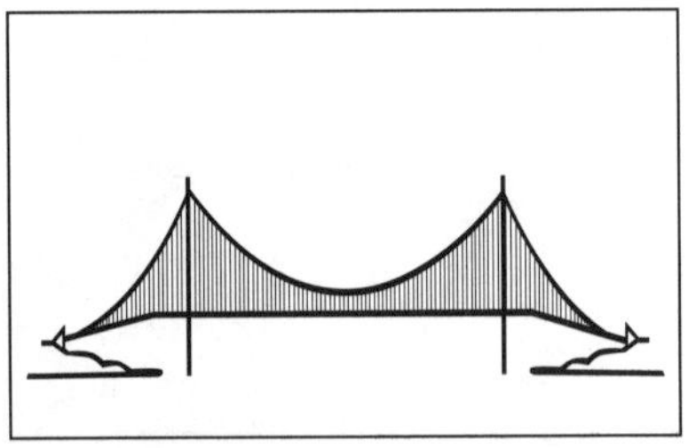

c) _____

d) _____

5. Répondez aux questions suivantes.

   a) Comment appelle-t-on l'avion conçu pour se poser sur l'eau ?

       _____

   b) Comment appelle-t-on les gros bateaux qui transportent des marchandises ?

       _____

   c) À part l'avion, nommez trois véhicules qui voyagent dans les airs.

       _____

   d) Comment appelle-t-on un chemin qui est formé avec des rails ?

       _____

SUR LA ROUTE...

Il fait du pouce.

**Il s'est fait arrêter
par la police.**

Il fait le plein d'essence.

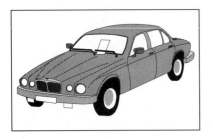

**Il a reçu
une contravention.**

**Il dépasse la limite
de vitesse.**

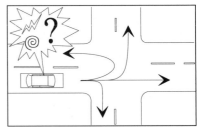

Il s'est égaré.

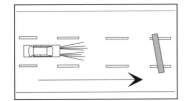

**Il aperçoit quelque chose
au milieu de la route.**

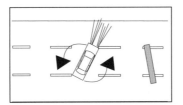

**Il freine brusquement
et il perd le contrôle
de son véhicule.**

Il a fait un tête à queue.

Il double l'autobus.

S'EN VENIR ET S'EN ALLER

> **OBSERVEZ :**
>
> **Venir**   **S'en venir**
> L'autobus vient vers nous.   L'autobus s'en vient.
>
> **Aller**   **S'en aller**
> Louise va au magasin.   Louise s'en va.

S'en venir
à l'indicatif présent
je m'en viens
tu t'en viens
il/elle/on s'en vient
nous nous en venons
vous vous en venez
ils/elles s'en viennent

S'en aller
à l'indicatif présent
je m'en vais
tu t'en vas
il/elle/on s'en va
nous nous en allons
vous vous en allez
ils/elles s'en vont

S'en venir
à l'impératif présent
viens-t'en
venez-vous-en

S'en aller
à l'impératif présent
va-t'en
allons-nous-en
allez-vous-en

EXERCICE 1   *Complétez l'histoire à l'aide des verbes ci-dessous, en les conjuguant aux temps appropriés.*

s'en venir – s'en aller – s'approcher – regarder en l'air – regarder en bas – monter dans – descendre de – frapper – éviter

Drôle de chien !

Pierre _____ en automobile chez son ami Francis qui habite à la campagne. Soudainement, il a aperçu un chien qui était assis en plein milieu d'un petit pont et qui _____ . Pierre a ralenti et a regardé dans le ciel pour savoir ce que le chien pouvait bien regarder, mais il n'y avait absolument rien ! Pierre _____ sa voiture et _____ du chien. Il a dit au chien : « Chien-chien, tu vas te faire _____ si tu restes là. » Comme Pierre prononçait ces mots, une automobile _____ assez rapidement et le conducteur _____ le chien de justesse. Pierre a dit au chien : « Bon, ça suffit ! _____ la voiture avec moi, tu vas te faire tuer ici ! » Le chien s'est levé et il a docilement suivi Pierre. Pierre est arrivé quelques minutes plus tard chez Francis, qui l'attendait dehors. Quand Francis a vu le chien, il a dit, tout naturellement : « Bonjour Meldor, comment vas-tu ? »

(PIERRE, tout surpris)	– Tu connais ce chien ?
(FRANCIS)	– Mais si ! C'est le chien de mon voisin. Je suppose que tu l'as rencontré sur le pont ?
(PIERRE)	– Oui, c'est ça ! Il fixait le ciel !
(FRANCIS)	– Évidemment ! Meldor a le vertige. Chaque fois qu'il essaie de traverser le pont, il _____ et il panique. Pour avoir moins peur, il regarde dans le ciel jusqu'à ce qu'il se sente mieux.
(PIERRE)	– Tu me racontes des blagues ou quoi ? Un chien qui a le vertige ! Je ne te crois pas.
(FRANCIS)	– Je te le dis ! Regarde sur sa médaille !

En effet, sur la médaille de Meldor, son maître avait fait graver : « Sauvez-moi, j'ai le vertige ! »

EXERCICE 2 *Lisez attentivement.*

Un conducteur se fait arrêter par la police :

(LE POLICIER)   – Bonjour, Monsieur.

(LE CONDUCTEUR)   – Bonjour, Monsieur l'agent. Est-ce qu'il y a un problème ?

(LE POLICIER)   – Oui, Monsieur. Vous rouliez à 85 kilomètres à l'heure dans une zone de 30.

(LE CONDUCTEUR)   – J'allais si vite que ça ?

(LE POLICIER)   – Oui, Monsieur, mon radar indique que vous rouliez à 85 kilomètres à l'heure. Vos papiers, s'il vous plaît.

(LE CONDUCTEUR)   – Voilà mon permis de conduire et mes certificats d'immatriculation et d'assurance.

(LE POLICIER)   – Bien, Monsieur. Attendez-moi un instant.

Au bout de quelques minutes...

(LE POLICIER)   – Voilà, Monsieur. Bonne journée !

Le conducteur, en voyant le montant à payer sur la contravention, s'exclame : « Quoi ? Mais vous ne pouvez pas me donner une contravention aussi élevée ! »

(LE POLICIER)   – Si, Monsieur. La loi, c'est la loi !

Répondez à la question suivante.

Vous êtes-vous déjà fait arrêter par la police à cause d'une infraction au code de la route ? Si oui, expliquez les circonstances de votre arrestation et précisez les détails suivants :

– le mois et l'année de l'événement
– le lieu de l'arrestation
– la cause de l'arrestation
– les papiers que vous avez présentés au policier
– le montant de la contravention
– votre réaction après l'arrestation

_____

_____

_____

_____

_____

_____

_____

_____

EXERCICE 3   *Expliquez dans vos mots le sens de chacun des motifs d'arrestation suivants.*

Exemple : Pourquoi s'est-il fait arrêter ?
(excès de vitesse) Le conducteur s'est fait arrêter parce qu'il allait trop vite.

Pourquoi s'est-il fait arrêter ?

1. (virage à gauche interdit) _____

_____

2. (demi-tour interdit)_____

_____

3. (conduite avec facultés affaiblies) _____

_____

4. (griller un feu rouge) _____

_____

EXERCICE 4   *Répondez aux questions suivantes.*

1. Devinez, à l'aide des indices, le moyen de transport.

a) Indice n° 1 : C'est un moyen de transport moderne qu'on enfourche.
   Indice n° 2 : Ce véhicule ne cause pas de pollution.
   Indice n° 3 : C'est un moyen de transport très populaire en Chine.

   Réponse : _____

b) Indice n° 1 : Sa création a entraîné une grande activité souterraine.
   Indice n° 2 : Les conditions climatiques n'influencent absolument pas ses horaires.
   Indice n° 3 : Il a des fenêtres mais on ne peut jamais voir dehors.

   Réponse : _____

c) Indice n° 1 : Il a une ancre.
   Indice n° 2 : Il vogue d'un port à l'autre.
   Indice n° 3 : Il n'est pas recommandé aux personnes qui ont le mal de mer.

   Réponse : _____

2. Choisissez deux moyens de transport et trouvez trois indices qui pourraient nous permettre de les identifier.

   a) Indice n° 1 : _____

                   _____

      Indice n° 2 : _____

                   _____

      Indice n° 3 : _____

                   _____

   b) Indice n° 1 : _____

                   _____

      Indice n° 2 : _____

                   _____

      Indice n° 3 : _____

                   _____

EXERCICE 5   *Complétez chacune des phrases en donnant votre opinion.*

1. Je crois qu'un plus grand nombre de personnes iraient travailler à bicyclette si _____

_____

_____

2. Il me semble qu'il est plus pratique de prendre le métro, car _____

_____

_____

3. J'ai l'impression que les gens utilisent leur automobile parce que _____

_____

_____

4. Je suis convaincu(e) que la majorité des gens prendrait l'autobus si _____

_____

_____

L'INFINITIF PASSÉ

OBSERVEZ :

Je suis content d'**avoir pris** le métro ce matin, car les conditions routières n'étaient pas belles.

Que fais-tu encore au bureau ? Tu devrais **être parti** depuis plus d'une heure !

Le train est en retard : il devrait **être arrivé** depuis vingt minutes.

Pour former l'infinitif passé :
• utiliser l'auxiliaire **avoir** ou **être** à l'**infinitif présent** ;
• ajouter le **participe passé** du verbe désiré.

L'infinitif passé
☞ Voir les Références grammaticales, pages 221 et 222.

EXERCICE 6   *Mettez les verbes à l'infinitif passé.*

1. Elle pourra utiliser la voiture après (obtenir) _____ son permis de conduire.

2. Ils prendront l'autobus après (vendre) _____ leur automobile.

3. Il m'a remercié de l'(reconduire) _____ jusque chez lui.

4. Il faut toujours bien visser le bouchon du réservoir après (faire) _____ _____ le plein d'essence.

5. Il devrait (revenir) _____ à la maison d'ici une heure.

6. Il ne faut jamais conduire après (consommer) _____ plusieurs verres d'alcool.

À, EN OU PAR DEVANT UN MOYEN DE TRANSPORT

On emploie **à** quand on **enfourche** un animal ou un véhicule.
Exemple : Il se promène à vélo.

On emploie **en** quand le moyen de transport **contient** la personne qui est transportée.
Exemple : Il se promène en hélicoptère.

Quand on parle du **train**, il est préférable d'utiliser **par**.
Exemple : Il voyage par le train.

> **Les prépositions devant un moyen de transport**
> ☞ Voir les Références grammaticales, page 235.

EXERCICE 7   *Placez* à *ou* en.

1. Il a fait le tour de la Gaspésie _____ bicyclette.

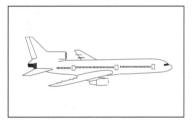

2. Ils sont allés au Mexique _____ avion.

3. Ce serait amusant si les gens devaient aller au bureau _____ cheval.

4. Il a traversé le désert _____ moto.

5. Elle est allée à Québec _____ autobus.

6. Ils ont fait le tour du monde _____ bateau.

CE QUE ET SI

OBSERVEZ :

CE QUE

Je vous demande : « **Qu'est-ce que** vous feriez si votre voiture tombait en panne sur l'autoroute ? »

Qu'est-ce que je vous ai demandé ?

Je vous ai demandé **ce que** vous feriez si votre automobile tombait en panne sur l'autoroute.

Votre ami vous demande : « **Qu'est-ce que** tu ferais s'il y avait une grève dans les transports en commun ? »

Qu'est-ce que votre ami vous a demandé ?

Il vous a demandé **ce que** vous feriez s'il y avait une grève dans les transports en commun.

SI

Je vous demande : « **Est-ce que** vous avez une automobile ? »

Qu'est-ce que je vous ai demandé ?

Je vous ai demandé **si** vous aviez une automobile.

Un collègue vous demande : « **Est-ce que** vous pourriez me déposer à l'aéroport ? »

Qu'est-ce qu'il vous a demandé ?

Il vous a demandé **si** vous pouviez le déposer à l'aéroport.

Discours direct		Discours indirect
qu'est-ce que...	→	... ce que...
est-ce que...	→	... si...

LES SONDAGES

L'AUTOMOBILE

EXERCICE 8   *Un sondage sur l'automobile.*

1. Un journaliste est dans le stationnement d'un centre commercial et il veut vous poser des questions. Répondez à ses questions.

a) (LE JOURNALISTE) – Pardon, Monsieur/Madame, je fais un sondage sur le comportement des automobilistes. Dites-moi, qu'est-ce que vous pensez des automobilistes qui utilisent leur téléphone cellulaire pendant qu'ils conduisent ?

   – _____

   _____

   _____

   _____

b) (LE JOURNALISTE) – Qu'est-ce que vous pensez des cyclistes qui ne respectent pas la signalisation routière ?

   – _____

   _____

   _____

   _____

c) (LE JOURNALISTE) – Qu'est-ce que vous feriez si un inconnu marchant sur le trottoir vous demandait de le conduire chez un ami ?

   – _____

   _____

   _____

d) (LE JOURNALISTE) – Qu'est-ce que vous diriez si on vous obligeait à passer un examen sur le code de la route tous les deux ans ?

   – _____

   _____

   _____

2. Le journaliste vous a posé quatre questions. Qu'est-ce qu'il vous a demandé ?

a) Il m'a demandé _____

_____

b) Il m'a demandé _____

_____

c) Il m'a demandé _____

_____

d) Il m'a demandé _____

_____

LES TRANSPORTS EN COMMUN

EXERCICE 9   *Un sondage sur les transports en commun.*

1. Un journaliste se promène dans la rue et interviewe des passants. Répondez à ses questions.

a) (LE JOURNALISTE)   – Pardon, Monsieur/Madame, est-ce que vous prenez souvent l'autobus ?

– _____

b) (LE JOURNALISTE)   – Est-ce que vous trouvez que les horaires d'autobus sont bien respectés ?

– _____

_____

c) (LE JOURNALISTE)   – Est-ce que vous trouvez que les autobus sont surchargés ?

– _____

_____

d) (LE JOURNALISTE)   – Est-ce que vous êtes au courant que le prix de la carte d'autobus va augmenter de 10 % l'année prochaine ?

– _____

e) (LE JOURNALISTE)   – Est-ce que vous pensez que cette augmentation est trop élevée ?

– _____

_____

(LE JOURNALISTE)   – Je vous remercie beaucoup d'avoir répondu à mes questions. Bonne journée !

2. Le journaliste vous a posé cinq questions. Qu'est-ce qu'il vous a demandé ?

a) Il m'a demandé _____

_____

b) Il m'a demandé _____

_____

c) Il m'a demandé _____

_____

d) Il m'a demandé _____

_____

e) Il m'a demandé _____

_____

LE TRAIN

On voyage **par le** train.

On monte **à bord du** train.

On **descend du** train.

Le train roule sur **la voie ferrée**.

La voie ferrée est fabriquée avec **des rails**.

Quand un train quitte les rails en roulant, on dit qu'il **déraille**.

On attend le train **sur le quai**.

EXERCICE 10   *Trouvez quatre questions que vous pourriez poser à des personnes à propos du train. (Les questions doivent débuter par* est-ce que *ou* qu'est-ce que.*)*

1. Je pourrais leur demander   ce que_____
                                          ou
                                          si   _____

2. Je pourrais leur demander   ce que_____
                                          ou
                                          si   _____

3. Je pourrais leur demander   ce que_____
                                          ou
                                          si   _____

4. Je pourrais leur demander   ce que_____
                                          ou
                                          si   _____

L'AVION

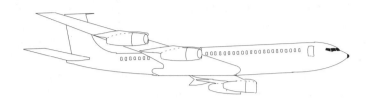

L'avion vole **à haute altitude**.

L'avion vole **à basse altitude**.

Les passagers et les membres de l'équipage montent **à bord de** l'avion.

Les passagers **descendent de** l'avion.

AVOIR TENDANCE À

L'expression « avoir tendance à... » signifie qu'on est porté à agir d'une certaine façon sans nécessairement toujours agir de cette façon. Si une personne dit « J'ai le mal de l'air », cela signifie qu'elle est toujours malade quand elle prend l'avion. Si une personne dit « J'ai tendance à avoir le mal de l'air », cela nous indique qu'elle est parfois malade, sans nécessairement toujours être malade quand elle prend l'avion.

EXERCICE 11   *Quelles sont vos tendances ? (Encerclez la ou les bonnes réponses.)*

1. Quand vous devez prendre l'avion, avez-vous tendance à...
   a) arriver des heures d'avance à l'aéroport ?
   b) arriver juste à l'heure prévue ?
   c) arriver en retard ?
   d) arriver trop tard ?

2. Lorsque vous prenez un vol intercontinental, avez-vous tendance à...
   a) dormir tout au long du trajet ?
   b) regarder par le hublot pour vérifier si les moteurs fonctionnent bien ?
   c) parler avec votre voisin ?
   d) écouter les conversations des autres passagers ?

3. Quand il y a de la turbulence, avez-vous tendance à...
   a) devenir tendu et imaginer le pire ?
   b) consommer deux fois plus d'alcool que d'habitude ?
   c) courir dans la cabine de pilotage pour demander ce qui se passe ?
   d) raconter des blagues aux autres passagers pour passer le temps ?

4. Quand vous descendez de l'avion, avez-vous tendance à...

   a) remercier infiniment les hôtesses de l'air, les agents de bord, le pilote et le copilote ?

   b) vous dépêcher pour aller chercher vos bagages au carrousel de bagages ?

   c) aller vous asseoir sur un banc dans l'aérogare parce que le vol vous a épuisé ?

   d) téléphoner immédiatement à votre famille et à vos collègues pour leur dire que vous êtes arrivé à destination ?

5. Quand vous arrivez aux douanes, avez-vous tendance à...

   a) vous impatienter si la file d'attente est très longue ?

   b) devenir très nerveux parce que vous avez peur que les douaniers fouillent vos valises ?

   c) vérifier de nombreuses fois si vous avez votre passeport et tous les papiers nécessaires ?

   d) écouter la conversation entre les douaniers et les personnes qu'ils interrogent ?

EXERCICE 12   *Lisez attentivement.*

L'automobile ou les transports en commun?

Quand on travaille en ville, il est difficile de savoir s'il est préférable d'aller travailler en automobile ou d'utiliser les transports en commun. Même si l'automobile est un moyen de transport très populaire, il n'est pas toujours avantageux de l'utiliser. Les automobilistes qui circulent quotidiennement dans la ville admettent qu'il est parfois bien compliqué de circuler en automobile. Conduire en ville est une cause importante de stress : la circulation dense, les routes en réparation, la chaussée glissante, le manque de stationnement, les contraventions qui peuvent atterrir sur le pare-brise au moment où l'on s'y attend le moins sont des facteurs qui peuvent énormément fatiguer certaines personnes. Il y a des gens qui ont une automobile et qui choisissent malgré tout de prendre un moyen de transport public pour aller travailler parce qu'ils ne peuvent pas subir la pression de conduire en ville.

D'un autre côté, les transports en commun ont aussi leurs désavantages. Il n'est pas très relaxant de devoir descendre l'escalier à la course pour sauter dans le métro qui s'en vient, d'attendre l'autobus à la pluie battante ou de crever de chaleur dans un autobus bondé de monde.

Il est rare que l'on rencontre quelqu'un pour qui le déplacement de la maison au bureau n'est pas un problème. Il y a beaucoup de personnes qui ont un très bon emploi, mais qui trouvent le transport très difficile, compliqué, trop long ou trop coûteux.

Évidemment, il y a des chanceux qui habitent tout près de leur travail, mais ils ne sont pas nombreux. On aurait tendance à croire que l'évolution considérable des moyens de transport depuis une centaine d'années aurait simplifié la vie des gens et pourtant les choses n'ont pas tellement changé. À l'époque de nos ancêtres, les gens trouvaient difficile de se déplacer d'un village à l'autre, tout comme maintenant l'on trouve difficile de se déplacer d'un quartier à l'autre. La différence est qu'aujourd'hui on parle d'automobile, d'autobus et de métro plutôt que de parler de chevaux.

Répondez aux questions sur le texte.

1. Comment appelle-t-on l'ensemble des véhicules publics qui transportent des personnes ?

   _____

2. Nommez trois facteurs de stress pour les automobilistes.

   _____

   _____

   _____

3. Pourquoi certains propriétaires d'automobile choisissent-ils de prendre un moyen de transport public ?

   _____

4. Nommez deux désavantages associés aux transports en commun.

   _____

   _____

5. Dans le texte, quelle expression signifie qu'il pleut très fort ?

   _____

6. Que signifie l'expression **un autobus bondé de monde** ?

   _____

7. Dans le troisième paragraphe, quel mot est associé à l'idée d'argent ?

   _____

8. Dans le texte, qui qualifie-t-on de **chanceux** ?

   _____

9. Dans le dernier paragraphe, trouvez un synonyme de **faciliter**.

   _____

10. Pourquoi dit-on que les choses n'ont pas tellement changé malgré l'évolution des moyens de transport ?

    _____

    _____

    _____

THÈME 5
Le travail

RÉVISION   *Répondez aux questions.*

1. Formulez des questions en utilisant **est-ce que...**

a) _____

Oui, il travaille à plein temps.

b) _____

Non, elle n'a pas trouvé d'emploi d'été.

c) _____

Oui, je recherche un poste à plein temps.

d) _____

Non, ils ne sont pas payés à la commission.

e) _____

Oui, elles travaillent dans le domaine de l'informatique.

2. Trouvez les questions qui correspondent aux réponses.

a) _____

Son numéro de téléphone est le 222-3882.

b) _____

Elle s'appelle Sophie Saint-Armand.

c) _____

Il a obtenu son diplôme en 1982.

d) _____

Il a travaillé à la compagnie Zapala pendant deux ans.

3. Mettez à la forme passive.

a) L'employeur engage les employés.

_____

b) Le directeur a pris les décisions.

_____

c) Le patron a congédié trois employés.

_____

d) Les directeurs modifieront les horaires de travail.

_____

4. Trouvez un antonyme aux mots suivants.

a) congédier :   _____

b) retirer (de l'argent) : _____

c) patienter :   _____

d) gagner (de l'argent) :   _____

e) épargner (de l'argent) : _____

f) emprunter (de l'argent) : _____

L'ACTIVITÉ

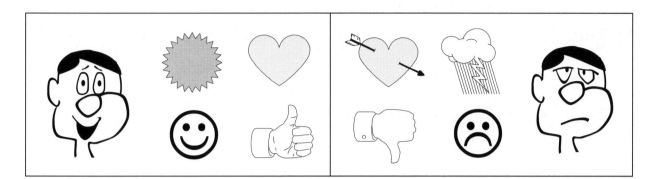

Quand tout va bien...

- J'ai le goût d'aller travailler.
- Ça me tente d'aller travailler.
- J'ai plein de projets intéressants.
- Je me compte chanceux d'avoir cet emploi.
- Tout va à merveille !
- Les affaires vont bien.
- Tout roule comme sur des roulettes.
- Tout va pour le mieux dans le meilleur des mondes.
- Je déborde d'énergie.
- La semaine a passé vite.

Quand tout va mal...

- Je n'en peux plus !
- Je suis vidé !
- Je vais craquer !
- J'en ai ras le bol !
- Ça ne tourne pas rond.
- J'ai le goût de tout plaquer là !
- Ça m'énerve !
- Je suis découragé.
- Je ne sais plus où donner de la tête.
- Les journées sont longues !

Connaissez-vous ces expressions ?

avoir	• un emploi
	• un boulot
	• un gagne-pain
	• de l'ouvrage
	• du pain sur la planche
gagner	• sa vie
	• son pain
occuper	• une fonction
	• un poste
travailler	• dur
	• fort
	• d'arrache-pied

LES LIEUX DE TRAVAIL

EXERCICE 1   *À l'aide de la liste, dites où travaillent les personnes mentionnées ci-dessous.*

une boutique d'artisanat – un atelier de menuiserie – une cordonnerie – un hôtel de ville – une boîte de nuit – une quincaillerie – une firme de courtage – une usine de recyclage

1. Il est chansonnier.

   Il travaille _____

2. Il est greffier.

   Il travaille _____

3. Il est courtier.

   Il travaille _____

4. Il est menuisier.

   Il travaille _____

5. Il vend des objets artisanaux.

   Il travaille _____

6. Il vend des outils.

   Il travaille _____

7. Il répare les chaussures.

   Il travaille _____

8. Il recycle du papier.

   Il travaille _____

EXERCICE 2 *Certaines personnes travaillent dans des lieux qui ne sont pas aussi confortables que ceux de l'exercice précédent. Répondez aux questions suivantes.*

1. Où travaille un agriculteur?

_____

2. Où travaille un camionneur?

_____

3. Où travaille un débardeur?

_____

4. Où travaille un ramoneur?

_____

5. Où travaille un mineur?

_____

CHACUN SON MÉTIER
ET LES VACHES SERONT BIEN GARDÉES !

EXERCICE 3   *Répondez aux questions à l'aide de la liste ci-dessous.*

soigner les enfants – réparer les carrosseries d'automobiles – faire l'enlèvement des ordures ménagères – élever des abeilles – abattre des arbres – coudre des vêtements – plaider des causes – aménager des jardins

1. Si vous étiez avocat(e), qu'est-ce qu'il faudrait que vous fassiez ?

   _____

2. Si vous étiez pédiatre, qu'est-ce qu'il faudrait que vous fassiez ?

   _____

3. Si vous étiez apiculteur(trice), qu'est-ce qu'il faudrait que vous fassiez ?

   _____

4. Si vous étiez bûcheron(ne), qu'est-ce qu'il faudrait que vous fassiez ?

   _____

5. Si vous étiez couturier(ière), qu'est-ce qu'il faudrait que vous fassiez ?

   _____

6. Si vous étiez paysagiste, qu'est-ce qu'il faudrait que vous fassiez ?

   _____

7. Si vous étiez débosseleur(euse), qu'est-ce qu'il faudrait que vous fassiez ?

   _____

8. Si vous étiez éboueur(euse), qu'est-ce qu'il faudrait que vous fassiez ?

   _____

LE FAITES-VOUS OU LE FAITES-VOUS FAIRE ?

OBSERVEZ :

Votre voiture tombe en panne.

| Le mécanicien **répare** votre voiture. | **donc** | Vous **faites réparer** votre voiture. |

Vous avez des vêtements qui doivent être nettoyés à sec.

| Le nettoyeur **nettoie** vos vêtements. | **donc** | Vous **faites nettoyer** vos vêtements. |

Vous désirez avoir un système d'alarme dans votre maison.

| Le technicien **installe** un système d'alarme. | **donc** | Vous **faites installer** un système d'alarme. |

EXERCICE 4   *Répondez aux questions suivantes.*

1. Quand vous êtes au travail et que vous désirez manger de la pizza, allez-vous la chercher à la pizzeria ou la faites-vous livrer ?

   _____

2. Quand vous avez des lettres qui doivent être tapées, les tapez-vous vous-même ou les faites-vous taper ?

   _____

3. Habituellement, quand vous désirez parler à un collègue ou à un employé, allez-vous le voir dans son bureau ou le faites-vous venir dans votre bureau ?

   _____

4. Quand votre automobile a besoin d'une vidange d'huile, la faites-vous vous-même ou la faites-vous faire au garage ?

   _____

5. Quand vous devez envoyer des lettres, les postez-vous vous-même ou les faites-vous poster par quelqu'un d'autre ?

   _____

EXERCICE 5   *Répondez aux questions à l'aide de la liste ci-dessous.*

Exemple : Si vous voulez faire examiner vos dents, qui irez-vous voir ?
          J'irai voir le dentiste*.

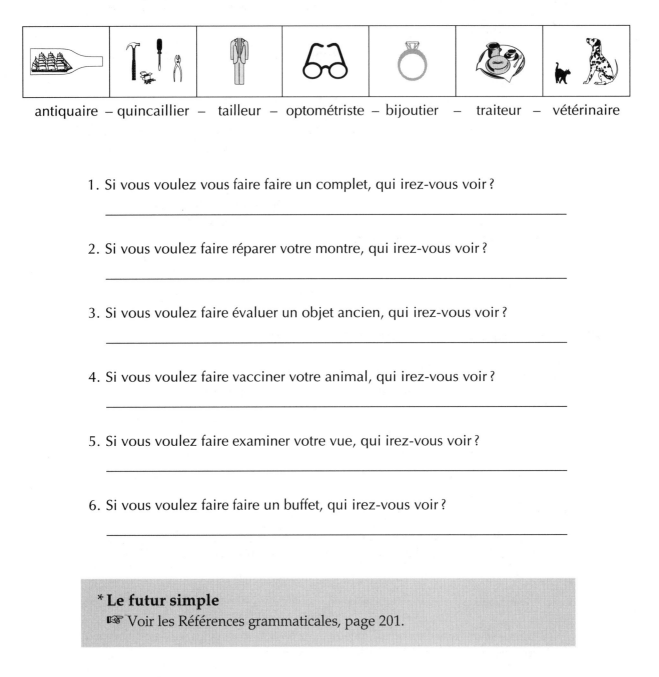

antiquaire – quincaillier – tailleur – optométriste – bijoutier – traiteur – vétérinaire

1. Si vous voulez vous faire faire un complet, qui irez-vous voir ?

   _____

2. Si vous voulez faire réparer votre montre, qui irez-vous voir ?

   _____

3. Si vous voulez faire évaluer un objet ancien, qui irez-vous voir ?

   _____

4. Si vous voulez faire vacciner votre animal, qui irez-vous voir ?

   _____

5. Si vous voulez faire examiner votre vue, qui irez-vous voir ?

   _____

6. Si vous voulez faire faire un buffet, qui irez-vous voir ?

   _____

> *** Le futur simple**
> ☞ Voir les Références grammaticales, page 201.

EXERCICE 6   *Répondez aux questions en vous servant de la liste des métiers suivante.*

enseignant – ambulancier – pêcheur – agent immobilier – cardiologue – traducteur – huissier – serrurier – artificier – électricien – déménageur – travailleur social – pompier

Parmi ces métiers, ...

1. lesquels sont risqués et pourquoi ?

   _____

   _____

   _____

   _____

2. lesquels sont instables et pourquoi ?

   _____

   _____

   _____

   _____

3. lesquels impliquent un horaire difficile et pourquoi ?

   _____

   _____

   _____

   _____

4. lesquels sont exigeants mentalement et pourquoi ?

   _____

   _____

   _____

   _____

5. lesquels sont exigeants physiquement et pourquoi ?

   _____

   _____

   _____

   _____

LES QUARTS DE TRAVAIL

Travailler • de jour
• de soir
• de nuit

EXERCICE 7   *Répondez aux questions suivantes.*

1. Travaillez-vous de jour, de soir ou de nuit?

   _____

2. Si on vous donnait le choix, quel quart de travail voudriez-vous avoir et pourquoi?

   _____
   _____
   _____

3. Selon vous, quels sont les grands avantages et les grands désavantages à travailler de nuit?

   _____
   _____
   _____
   _____
   _____

4. Si on vous obligeait à travailler de soir ou de nuit (si vous travaillez de jour) ou à travailler de jour (si vous travaillez de soir ou de nuit), quelle serait votre réaction? Donneriez-vous votre démission ou accepteriez-vous de modifier votre horaire?

   _____
   _____

5. Nommez cinq emplois qui nécessitent souvent de travailler la nuit.

   _____   _____
   _____   _____
   _____

LE CHOIX D'UNE CARRIÈRE

Les domaines dans lesquels un jeune peut s'orienter sont nombreux : il y a le domaine des arts, le domaine des lettres, le domaine des sciences humaines, le domaine des sciences pures, le domaine de l'informatique, le domaine de l'aéronautique, le domaine du droit et bien d'autres.

EXERCICE 8   *Feriez-vous un bon conseiller en orientation ?*

Voici cinq jeunes de 16 ans qui désirent aller au collège et à l'université. En vous basant sur les quelques informations qui vous sont fournies, dans quel domaine leur conseilleriez-vous de s'orienter ?

Michel :   intellectuel – réservé – songeur – préfère travailler seul

Pauline :   brillante – bonne en mathématiques – têtue – très intéressée à l'argent

Vincent :   actif – fort en français – s'exprime très bien verbalement et par écrit – aime voyager

Éloïse :   créative – habile manuellement – très forte en arts plastiques – possède un bon esprit d'équipe

Stéphane :   minutieux – goût prononcé pour la mécanique – talent pour le dessin – aime innover

Exemple :   M. X : Je lui conseillerais de se diriger vers le domaine de/du/des...
parce qu'il pourrait   • exploiter son côté...
                        • mettre à profit son talent pour...
                        • profiter du fait qu'il est... pour...

1. Michel : _____

_____

_____

_____

_____

2. Pauline :_____

_____

_____

_____

_____

_____

3. Vincent : _____

_____

_____

_____

_____

4. Éloïse : _____

_____

_____

_____

_____

5. Stéphane : _____

_____

_____

_____

_____

LE FUTUR ANTÉRIEUR

OBSERVEZ :

Une fois que j'**aurai terminé** mon baccalauréat, je ferai une maîtrise.

Quand tu **auras fini** tes études, tu pourras chercher un emploi à plein temps.

Le jour où il **aura obtenu** son doctorat, il aura les compétences nécessaires pour accéder à des postes plus intéressants.

Elle retournera à l'université quand elle **sera revenue** de voyage.

Pour former le futur antérieur :

• conjuguer l'auxiliaire **avoir** ou **être** au **futur simple** ;

• ajouter le **participe passé** du verbe désiré.

Le futur antérieur
☞ Voir les Références grammaticales, pages 202 et 203.

EXERCICE 9   *Conjuguez les verbes au futur antérieur.*

1. Il cherchera un autre emploi quand il (terminer) _____
son baccalauréat.

2. Elle s'achètera une nouvelle automobile quand elle (recevoir) _____
_____ son augmentation de salaire.

3. Il s'ouvrira un commerce quand il (économiser) _____
suffisamment d'argent.

4. Les employés cesseront de faire la grève quand ils (trouver) _____
_____ un terrain d'entente avec la partie patronale.

5. Il deviendra officiellement le président de l'entreprise quand il (signer)
_____ le contrat.

6. Tu ne pourras pas accéder à ce poste tant que* tu n'(acquérir) _____
pas_____ cinq ans d'expérience.

7. Elles pourront bénéficier des avantages sociaux quand elles (travailler)
_____ à plein temps pendant au moins six mois.

8. Nous ne pourrons pas régler ce problème tant qu'elle ne (revenir)
_____ pas _____ de vacances.

---

 * **La locution conjonctive** *tant que*
 ☞ Voir les Références grammaticales, pages 243 et 244.

EXERCICE 10   *Conjuguez les verbes au futur antérieur et utilisez un pronom complément d'objet direct (le, la, l', les) dans les réponses qui peuvent en contenir un.*

1. Quand rentreras-tu chez toi ?

   Je rentrerai chez moi quand j'(finir) _____ mon travail.

2. Peux-tu me dire si mon curriculum vitæ est bien fait ?

   Je te donnerai mon opinion quand je _____ (lire) _____.

3. Est-ce qu'il engagera les deux personnes qui ont téléphoné ce matin ?

   Il prendra sa décision quand il _____ (rencontrer) _____
   _____.

4. Est-ce qu'elle signera le contrat avant de partir en vacances ?

   Non, elle _____ signera quand elle (revenir) _____
   au bureau.

5. Quand rendrez-vous la nouvelle publique ?

   Je _____ rendrai publique quand je _____ (annoncer) _____
   _____ à tous les employés.

6. Est-ce qu'elle pourra faire son stage bientôt ?

   Elle pourra _____ faire quand elle (terminer) _____
   tous ses cours.

7. Est-ce qu'il veut encore faire sa maîtrise en psychologie ?

   Oui, il _____ fera quand il (épargner) _____
   l'argent nécessaire.

8. Quand prendra-t-elle sa décision ?

   Elle _____ prendra quand elle (avoir) _____ le temps
   de bien analyser la situation.

EXERCICE 11   *Répondez aux questions en utilisant le pronom complément* **en.**

1. Quand il était représentant commercial, est-ce qu'il recevait un salaire de base ?

   Oui, _____

2. Est-ce que son père reçoit une pension de retraite ?

   Non, _____

3. Est-ce que cette compagnie a un régime de retraite ?

   Non, _____

4. Est-ce que cette entreprise a un service des ressources humaines ?

   Oui, _____

5. S'il avait su, est-ce qu'il aurait pris une assurance-hospitalisation ?

   Oui, _____

6. Est-ce que j'aurais dû prendre une assurance-invalidité ?

   Oui, _____

7. Avez-vous une assurance-soins dentaires ?

   Non, nous _____

8. Est-ce qu'ils avaient pris des congés de maladie ?

   Oui, _____

EXERCICE 12   *Lisez attentivement.*

Quelle excuse !

M. Valmont est directeur du personnel pour la compagnie Idamo. Il travaille pour cette compagnie depuis vingt-deux ans. Quand les employés ont des questions, des problèmes ou des commentaires, ils vont voir M. Valmont.

M. Valmont est un homme très compréhensif, mais il est aussi très exigeant. Il insiste pour que les employés arrivent toujours à l'heure et il ne pardonne pas facilement les retards, à moins que les employés aient une très bonne excuse. Tous ceux qui travaillent avec M. Valmont reconnaissent qu'il est sévère, mais ils apprécient cependant le fait qu'il est un directeur dynamique et qu'il a un très bon sens de l'humour.

Ce matin, M. Lavallée, un des employés, est arrivé 45 minutes en retard. Il s'est faufilé le plus discrètement possible dans son bureau, souhaitant que personne n'ait remarqué l'incident. Quelques minutes plus tard, on frappe à sa porte. M. Lavallée se dit à lui-même : « Ça y est, c'est Valmont ! » En effet, la porte s'est ouverte et M. Valmont est entré dans le bureau avec un air placide et sérieux. Il dit à M. Lavallée : « Bonjour, Monsieur Lavallée. Vous allez bien aujourd'hui ? »

(M. Lavallée)   –   Ça va, mais j'ai beaucoup de pain sur la planche.

(M. Valmont)   –   Je ne veux pas vous déranger longtemps. Je suis simplement venu vous demander ce qui a bien pu vous arriver pour que vous soyez en retard ce matin ? Ça fait déjà quatre fois en un mois que vous êtes en retard...

(M. Lavallée)   –   Ah, Monsieur Valmont ! Si vous saviez ! Il m'est arrivé une vraie catastrophe ! Ce matin, je me suis levé à 6 heures, comme d'habitude, je me suis habillé, j'ai déjeuné et, croyez-le ou non, quand je suis sorti de la maison, j'ai constaté que mon auto n'était plus dans mon entrée. J'ai couru dans la rue, j'ai regardé un peu partout mais en vain : mon auto était disparue !

(M. Valmont)   –   On vous a volé votre automobile ?

(M. Lavallée)   –   Eh oui !

(M. Valmont)   –   Avez-vous prévenu la police ?

(M. Lavallée)   –   Non, pas encore. Vous comprendrez bien que je ne voulais pas arriver trop en retard au bureau.

(M. Valmont)   –   Comment êtes-vous venu travailler ?

(M. Lavallée)   –   J'ai dû venir à pied. J'ai même couru pendant quelques kilomètres.

(M. VALMONT) — Habitez-vous loin d'ici ?

(M. LAVALLÉE) — J'habite à 10 kilomètres d'ici.

(M. VALMONT) — Pauvre Monsieur Lavallée ! Je comprends bien maintenant pourquoi vous êtes arrivé en retard. Quelle histoire ! Allez, je vous laisse travailler. Bonne journée !

(M. LAVALLÉE) — Merci, Monsieur Valmont. Je savais que vous me comprendriez...

Quand M. Valmont est sorti du bureau, M. Lavallée s'est dit à lui-même : « Ouf ! Il m'a cru ! J'ai inventé cette histoire de toutes pièces, mais je n'avais pas le choix. Ça fait trop de fois que je suis en retard, il fallait que j'invente une bonne histoire ! Bon, maintenant il faut que je travaille et ça presse... »

Une heure plus tard, M. Valmont revient dans le bureau de M. Lavallée et lui dit avec un large sourire et un ton de voix plutôt ironique : « Monsieur Lavallée, vous êtes drôlement chanceux ! »

(M. LAVALLÉE) — Ah oui ? Pourquoi ?

(M. VALMONT) — Parce que je viens d'aller au restaurant du coin pour m'acheter un café et un croissant et j'ai vu que le voleur a garé votre automobile dans la rue juste en face des bureaux de l'entreprise ! N'est-ce pas incroyable ?

Répondez aux questions sur le texte.

1. Quel est le poste de M. Valmont ?

   _____

2. Où travaille-t-il ?

   _____

3. Depuis combien de temps travaille-t-il pour cette compagnie ?

   _____

4. Pourquoi les employés trouvent-ils que M. Valmont est un bon directeur ?

   _____

5. Quelle excuse M. Lavallée a-t-il donnée pour justifier son retard ?

   _____

6. Pourquoi M. Lavallée n'a-t-il pas appelé la police ?

   _____

7. Dans la version de M. Lavallée, comment s'est-il rendu au bureau ?

   _____

8. Pourquoi M. Lavallée a-t-il inventé cette histoire ?

   _____

9. Au bout de combien de temps M. Valmont est-il revenu dans le bureau de M. Lavallée ?

   _____

10. Quand M. Valmont a-t-il découvert que l'automobile de M. Lavallée était garée tout près des bureaux de l'entreprise ?

   _____

THÈME **6**
Les actions quotidiennes

RÉVISION   *Répondez aux questions.*

1. Complétez les phrases à l'aide des illustrations.

a) Si j'avais un domestique,

il_____

b) Si j'avais un domestique,

il_____

c) Si j'avais un domestique,

il_____

d) Si j'avais un domestique,

il_____

2. Conjuguez les verbes suivants à l'imparfait de l'indicatif.

   a) avoir   b) être

   _____   _____

   _____   _____

   _____   _____

   _____   _____

   _____   _____

3. Conjuguez les verbes suivants au conditionnel présent.

   a) avoir   b) être

   _____   _____

   _____   _____

   _____   _____

   _____   _____

   _____   _____

4. Complétez les phrases en conjuguant les verbes à l'imparfait ou au conditionnel présent.

   a) Si j'(avoir) _____ une automobile, j'(aller) _____ chercher les enfants après l'école.

   b) S'il (être) _____ plus discipliné, il (laver) _____ la vaisselle tous les jours.

   c) Nous (aller) _____ au centre de conditionnement physique plus souvent si nous (avoir) _____ le temps.

   d) Que (faire) _____ -vous si vous (être) _____ à ma place ?

5. Dans la liste, trouvez, dans chaque cas, l'expression qui est synonyme.

   ranger – Ça suffit ! – avoir l'air – il faut – C'est hors de question !

   a) remettre les objets à la bonne place :_____

   b) il est nécessaire (de/que...) : _____

   c) sembler (ex. : il semble sérieux) : _____

   d) Ce n'est pas possible ! : _____

   e) C'est assez ! : _____

QUAND LA FIN DE SEMAINE ARRIVE...

Elle fait de la couture.

Elle fait des courses.

Il fait du bricolage.

Il s'occupe des enfants.

Il se tourne les pouces.

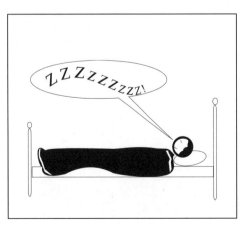

Elle fait une sieste dans l'après-midi.

LE GÉRONDIF

OBSERVEZ :

Elle est tombée
en descendant l'escalier.

Elle s'est fait mal
en sautant à la corde.

Il est sorti
en claquant la porte.

Elle est entrée **en marchant**
sur la pointe des pieds.

Le gérondif (**en** + **participe présent** du verbe) permet de préciser les circonstances qui entourent une autre action.

Exemple : Elle est tombée.   (énoncé très général)

Elle est tombée en descendant l'escalier.   (énoncé plus précis)

Le gérondif
☞ Voir les Références grammaticales, pages 217 à 219.

EXERCICE 1   *En vous inspirant des actions mentionnées ci-dessous, construisez des phrases en utilisant le passé composé et le gérondif.*

Exemple : rencontrer une amie/faire des courses
Elle a rencontré une amie en faisant des courses.

1. se cogner la tête sous la table/ramasser son couteau

   Il _____

2. s'endormir/regarder la télévision

   Elle _____

3. tacher sa cravate/ouvrir la bouteille de ketchup

   Il _____

4. s'asseoir dehors/attendre les invités

   Nous_____

5. passer le temps/jouer une partie de cartes

   Elles _____

6. lire le journal/déjeuner

   Il _____

7. retrouver sa montre/faire le ménage

   Elle _____

8. trébucher sur un jouet d'enfant/entrer dans le salon

   Il _____

EXERCICE 2   *Répondez aux questions.*

1. À l'aide de phrases complètes, répondez aux questions suivantes qui portent sur vos habitudes.

   a) Regardez-vous la télévision en soupant ?

      _____

   b) Écoutez-vous la radio en conduisant ?

      _____

   c) Chantez-vous en prenant votre douche ?

        _____

   d) Faites-vous des dessins sur une feuille en parlant au téléphone ?

        _____

   e) Prenez-vous un café en lisant le journal ?

        _____

2. Nommez trois habitudes que vous avez et utilisez le gérondif.

   Exemple : J'ai l'habitude de faire mes exercices en écoutant de la musique.

   a) J'ai l'habitude de _____

       en _____

   b) J'ai l'habitude de _____

       en _____

   c) J'ai l'habitude de _____

       en _____

ÊTES-VOUS DE BONNE HUMEUR ?

Ils sont de bonne humeur !

Il trouve que la vie est belle.

Il est comme un rayon de soleil.

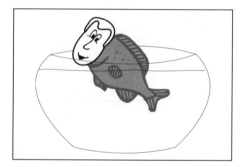

Il est heureux comme
un poisson dans l'eau.

Il rit à gorge déployée.

Ils sont de mauvaise humeur !

Il trouve le temps long.

Il pleure à chaudes larmes.

Il s'est levé du mauvais pied.   Il boude.

EXERCICE 3   *Voici des cas de personnes qui sont de mauvaise humeur. Comment feriez-vous pour qu'elles retrouvent leur bonne humeur ?*

1. Vous gardez un jeune enfant pour la journée. L'enfant pleure à chaudes larmes parce qu'il veut voir ses parents. Que feriez-vous pour qu'il retrouve sa bonne humeur ?

_____
_____
_____
_____
_____

2. Un de vos collègues de travail s'est levé du mauvais pied et il est d'une humeur massacrante. Que feriez-vous pour le faire rire ?

_____
_____
_____
_____

3. Votre meilleur(e) ami(e) s'ennuie à mourir parce qu'il/elle est seul(e) pour la journée. Que feriez-vous pour mettre un peu de soleil dans sa journée ?

_____
_____
_____
_____

LES IMPRÉVUS

Imaginez qu'après une grosse journée de travail vous rentrez à la maison et que l'un des événements suivants se produit.

1. Il y a une forte odeur de gaz dans la maison.
2. Les tuyaux sont gelés.
3. Une poêle qui contient de la graisse s'enflamme sur la cuisinière.
4. Une panne d'électricité paralyse votre secteur.
5. Une inondation dévaste votre salle de bain.

Dans chacune de ces situations, il est important d'agir avec prudence. Un faux mouvement, une réaction de panique ou encore un manque d'information sur ce qu'il faut faire en cas d'urgence sont des facteurs qui peuvent transformer un incident en une catastrophe.

EXERCICE 4   *Savez-vous quoi faire en cas d'urgence ?*

Pour chacune des cinq situations mentionnées ci-dessus, trouvez les directives qui conviennent. Vous devez construire deux phrases à l'aide des éléments ci-dessous.

* Commencez la première phrase avec :
  - Il ne faut jamais...
    ou
  - Il est très dangereux de...

  Et ajoutez l'une des idées suivantes :

  éteindre le feu avec de l'eau – ouvrir la lumière – entrer dans la pièce pour fermer le robinet – essayer de dégeler les tuyaux avec une torche – allumer des bougies

* Enchaînez avec :
  - car...
    ou
  - parce que...

  Et ajoutez l'une des idées suivantes :

  l'eau aggravera l'incendie – il y a un risque d'explosion – il y a un risque d'électrocution – elles peuvent causer un incendie – ils peuvent exploser si on les réchauffe trop longtemps

* Commencez la seconde phrase avec :
  - Il est préférable de...
    ou
  - Il vaut mieux...

Et ajoutez l'une des idées suivantes :

couper le courant à la boîte d'entrée de service – éteindre le feu avec du bicarbonate de soude – sortir immédiatement de la maison – appeler un plombier – utiliser des lampes de poche

1. (forte odeur de gaz dans la maison) _____

_____

_____

_____

_____

_____

2. (tuyaux gelés) _____

_____

_____

_____

_____

_____

3. (feu de graisse sur la cuisinière) _____

_____

_____

_____

_____

_____

4. (panne d'électricité)_____

_____

_____

_____

_____

_____

5. (inondation dans la salle de bain) _____

_____

_____

_____

_____

VENIR DE – ÊTRE EN TRAIN DE – ÊTRE SUR LE POINT DE

Présent

Passé ◄─────────────────┼─────────────────► Futur

venir de...
(l'action est récemment
terminée)

être en train de...
(l'action se déroule dans
un présent immédiat)

être sur le point de...
(l'action se déroulera
dans un futur proche)

Exemples :

Il **est sur le point de**
laver le plancher.

Il **est en train de**
laver le plancher.

Il **vient de**
laver le plancher.

Lisez attentivement.

Dring, dring, dring !

(SYLVIE) — Allô !

(MARTIN) — Bonjour Sylvie ! Comment vas-tu ?

(SYLVIE) — Très bien. Et toi ?

(MARTIN) — Ça pourrait aller mieux ! Dis-moi, Sylvie, est-ce que Philippe est là ?

(SYLVIE) — Non, il **vient de** partir. Il est allé conduire Éric à son cours de natation. Veux-tu qu'il te rappelle ?

(MARTIN) — Oui, dis-lui de me rappeler le plus vite possible.

(SYLVIE) — On dirait que c'est urgent. As-tu un problème ?

(MARTIN) — Oui, j'ai un grave problème ! Je **suis en train d'**assembler une balançoire pour les enfants et je ne comprends absolument rien au mode d'assemblage. Ça fait deux heures que les enfants tournent autour de moi en pleurant parce qu'ils veulent se balancer !

(SYLVIE, en riant) — Écoute, Martin, je **suis sur le point d'**aller au parc avec Nancy. Veux-tu que je passe chez toi pour aller chercher les enfants ? Ils pourraient venir avec nous et se balancer dans des balançoires solides !

(MARTIN)	– Très drôle !
(SYLVIE)	– Alors, c'est oui ?
(MARTIN)	– J'accepte avec plaisir. Ces enfants vont me rendre fou s'ils continuent à crier.
(SYLVIE)	– Je vais laisser une note à Philippe pour lui dire d'aller t'aider et moi je serai chez toi dans une dizaine de minutes. À tout à l'heure !

VENIR DE – ÊTRE EN TRAIN DE – ÊTRE SUR LE POINT DE AU PASSÉ

Lisez attentivement.

Madeleine est la femme de Martin. Madeleine était allée passer la fin de semaine chez sa sœur. Le dimanche soir, Sylvie raconte à Madeleine l'épisode de la balançoire :

« J'**étais en train d'**habiller Nancy quand Martin a appelé. Il m'a demandé s'il pouvait parler à Philippe. Je lui ai dit que Philippe **venait de** partir pour aller conduire Éric à son cours de natation. Il avait l'air contrarié et c'est pourquoi je lui ai demandé s'il avait un problème. C'est alors qu'il m'a expliqué qu'il **était en train d'**assembler une balançoire et qu'il ne comprenait rien à la feuille de directives. Il semblait désespéré parce que les enfants n'arrêtaient pas de dire qu'ils voulaient se balancer. Comme j'**étais sur le point d'**aller au parc avec Nancy, je lui ai offert de passer chez lui pour aller chercher les enfants. Plus tard, Philippe est allé l'aider et ils ont finalement réussi à assembler la balançoire ! »

EXERCICE 5   *Dans chaque cas, réunissez les deux phrases en une seule comme dans l'exemple ci-dessous.*

Exemple : Elle est en train de déjeuner. Le laitier sonne à la porte.
       Elle était en train de déjeuner quand le laitier a sonné à la porte.

1. Il vient de repeindre le salon. Son petit garçon met sa main sur le mur.

   _____

2. Ils sont sur le point de sortir. Des amis arrivent à l'improviste.

   _____

3. Nous sommes en train de jouer à un jeu vidéo. Il y a une panne d'électricité.

   _____

4. Vous êtes sur le point de vous endormir. Le chien se met à japper.

   _____

5. Elle vient de passer l'aspirateur. Il renverse le bol de graines de tournesol.

   _____

6. Je suis en train de faire un gâteau. Je vois que je n'ai plus d'œufs.

   _____

7. Il est sur le point de se laver. Il constate qu'il n'y a plus d'eau chaude.

   _____

8. Elle vient de fermer la porte. Elle réalise qu'elle n'a pas ses clés.

   _____

EXERCICE 6   *Pour chacun des noms mentionnés ci-dessous, trouvez un verbe qui appartient à la même famille.*

Exemple : le regard : regarder

1. le réveil : _____

2. le rangement : _____

3. l'habillement : _____

4. le repos : _____

5. le jeu : _____

6. une réparation : _____

7. une invitation : _____

8. la surveillance : _____

9. la négligence : _____

10. l'entretien (d'une maison) : _____

EXERCICE 7 *Trouvez un antonyme pour chacun des verbes suivants.*

Exemple : ouvrir : fermer

1. monter : _____

2. s'habiller : _____

3. salir (un vêtement) : _____

4. échapper (un objet) _____

5. perdre (un objet) : _____

6. allumer : _____

7. entrer : _____

8. remplir (un verre) : _____

9. se lever : _____

10. servir (une assiette) : _____

EXERCICE 8 *Remplacez les mots soulignés par des pronoms compléments.*

1. Elle s'est endormie en berçant le bébé.

_____

2. Elle a raconté une histoire aux enfants.

_____

3. Ils ont invité Pierre et Sylvie à venir souper samedi soir prochain.

_____

4. Il a offert des fleurs à sa femme.

_____

5. Mon garçon a prêté sa bicyclette à la fille de mon voisin.

_____

6. Il n'a pas entendu <u>la sonnette</u>.

_____

7. Elle n'a pas répondu <u>aux deux hommes qui frappaient à la porte</u>.

_____

8. Ils ont interdit <u>à leurs enfants</u> de sortir après huit heures du soir.

_____

EXERCICE 9   *À l'aide des indices suivants, trouvez les objets dont il est question.*

1. Même si elle tourne en rond toute la journée, on ne peut pas l'accuser de perdre son temps.

_____

2. On l'aime parce qu'il est gros, froid et gourmand.

_____

3. On lui reproche souvent d'être trop brillante même si l'on sait qu'elle n'est pas intelligente.

_____

4. Il est plein de poussière et pourtant on l'utilise pour faire le ménage.

_____

5. On les regarde parce qu'elles sont invisibles.

_____

EXERCICE 10 *Lisez attentivement.*

Normand et la course contre la montre

Le pire ennemi de Normand, c'est le temps ! Depuis sa tendre enfance, Normand a toujours eu beaucoup de problèmes à être ponctuel. Quand il allait à l'école, il arrivait très souvent en retard en classe, au grand désespoir de ses professeurs. Cependant, Normand avait toujours de bonnes explications : « J'attendais l'autobus et j'ai réalisé que j'avais oublié mon sac d'école à la maison. J'ai couru jusque chez moi et quand je suis revenu à l'arrêt, l'autobus était déjà parti » ; « Avant de partir, j'ai rangé ma chambre et je n'ai pas vu l'heure passer. J'ai dû venir à pied jusqu'à l'école et ça m'a pris beaucoup de temps. »

Bien que ses parents aient fait tout leur possible pour que Normand soit plus ponctuel, ça n'a pas donné grand-chose. Normand vient d'avoir 35 ans et il a encore la réputation d'être celui qui est toujours en retard et qui a toujours de bonnes excuses. S'il doit aller souper chez des amis à six heures, on peut être presque certain qu'il n'arrivera qu'à sept heures et qu'il aura une bonne explication comme : « J'étais sur le point de partir quand j'ai vu que mon auto était sale et j'ai décidé de la laver en vitesse » ; « J'étais en route quand j'ai constaté qu'il fallait que je mette de l'essence et j'ai dû faire d'abord un saut à la banque parce que je n'avais pas d'argent sur moi pour payer l'essence » ; « J'étais en train de m'habiller et j'ai vu que je n'avais plus de chemises propres. Il a fallu que j'en lave une, que je la fasse sécher et que je la repasse. »

Au bureau, Normand n'est pas plus ponctuel. Sa secrétaire est en train de devenir folle ! Il dit à ses clients qu'il sera là à huit heures et il n'arrive qu'à neuf heures. Il s'excuse en disant que la circulation était très dense, que son rendez-vous précédent a été plus long que prévu, etc. En vérité, Normand arrive en retard parce qu'il décide, juste avant de quitter la maison, de cirer ses chaussures, de laver la vaisselle, de coudre un bouton sur son veston, de nettoyer ses lunettes, et ainsi de suite.

Normand est tellement reconnu pour être en retard que les quelques fois où il arrive à l'heure prévue au bureau, ses collègues lui demandent, en riant : « Qu'est-ce qui se passe ? Es-tu fiévreux ? » ; « Est-ce que ta montre prend de l'avance ? » ; « As-tu dormi au bureau ? »

Bien que Normand fasse de gros efforts pour changer, il trouve cela très difficile. Selon lui, il n'est pas intéressant de prévoir toutes les petites choses qui doivent être faites dans une journée. Il dit : « Je trouve qu'il est important de planifier de grandes choses comme partir en voyage, acheter une maison, préparer des dossiers pour les clients, mais je suis incapable de prévoir toutes les petites choses qui font partie du train-train quotidien. »

Répondez aux questions sur le texte.

1. Depuis quand Normand a-t-il des problèmes de ponctualité ?

   _____

2. Dans le premier paragraphe, quelle expression signifie que Normand n'a pas regardé régulièrement une horloge ou sa montre ?

   _____

3. Dans le deuxième paragraphe, quelle expression indique que Normand a récemment célébré son anniversaire ?

   _____

4. Quelle expression du texte indique que la secrétaire n'aime pas que Normand soit en retard ?

   _____

5. Mentionnez une des excuses que Normand donne à ses clients quand il arrive en retard.

   _____

6. Donnez deux des vraies raisons pour lesquelles Normand arrive en retard au bureau.

   _____

   _____

7. Que veut dire l'expression **une montre qui prend de l'avance** ?

   _____

8. Qu'est-ce que Normand est incapable de prévoir ?

   _____

   _____

THÈME 7

Le bureau

RÉVISION   *Répondez aux questions.*

1. Conjuguez les verbes à l'impératif présent.

a) être   b) écouter   c) faire

_____   _____   _____

_____   _____   _____

_____   _____   _____

d) répondre   e) aller

_____   _____

_____   _____

_____   _____

2. Dans chaque cas, remplacez le complément d'objet direct par **le**, **la**, **l'** ou **les**.

Exemple : Elle lit la lettre.
          Elle la lit.

a) Il photocopie le document.

   _____

b) Nous cherchons les enveloppes.

   _____

c) Il nettoie son bureau.

   _____

d) Vous classez les dossiers.

   _____

e) Tu allumes la lumière.

   _____

f) Il appelle ses clients.

_____

g) Elle vérifie le rapport.

_____

3. Trouvez un antonyme pour chacun des verbes suivants.

a) recevoir (une lettre) :   _____

b) ouvrir :   _____

c) décrocher (le récepteur) :   _____

d) écrire (un mot) :   _____

4. Écrivez en lettres les équations suivantes.

Exemple : 4 + 7 = 11
          Quatre plus sept égale onze.

a) 50 + 5 = 55

_____

b) 67 – 6 = 61

_____

c) 98 ÷ 2 = 49

_____

d) 32 × 2 = 64

_____

5. Écrivez en lettres les nombres suivants.

a) 20 :   _____

b) 160 :   _____

c) 387 :   _____

d) 2 600 :   _____

e) 5 421 :   _____

AU BUREAU...

Ils se serrent la main.

Elles se saluent.

Le téléphone ne dérougit pas.

On pourrait entendre une mouche voler dans ce bureau !

Son bureau est sens dessus dessous.

Elle est un moulin à paroles.

EXERCICE 1   *À l'aide de la liste, identifiez les objets illustrés.*

des chaises pliantes – un projecteur pour diapositives – une table à dessin – des punaises – un timbre dateur – un rétroprojecteur – un protecteur de surtension – un écran – des câbles – un scanner

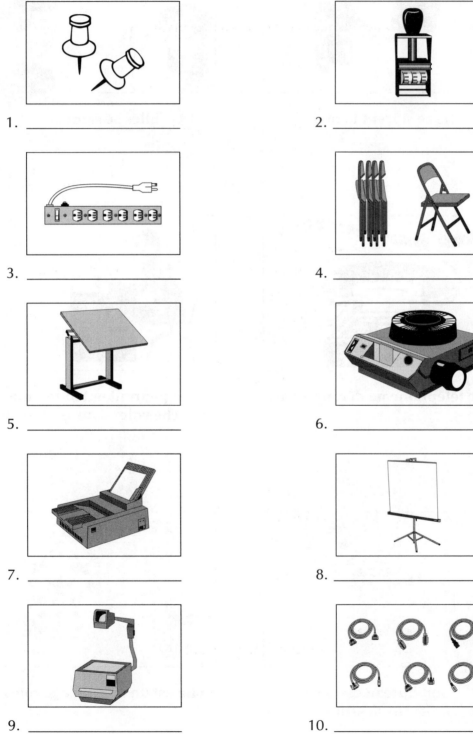

1. _____

2. _____

3. _____

4. _____

5. _____

6. _____

7. _____

8. _____

9. _____

10. _____

LE SUBJONCTIF PASSÉ

OBSERVEZ :

Il faut que je **sois revenu** au bureau avant trois heures.

Il faut que j'**aie terminé** ce travail avant midi.

Il faut que nous **ayons reçu** la marchandise avant mardi prochain.

Pour former le subjonctif passé :

• conjuguer l'auxiliaire **avoir** ou **être** au **subjonctif présent** ;
• ajouter le **participe passé** du verbe désiré.

Exemples :   **avoir** au subjonctif présent   +   **participe passé**
                        ↓   ↓

que j'aie...
que tu aies...
qu'il/elle/on ait...   • téléphoné
que nous ayons...   • fini
que vous ayez...
qu'ils/elles aient...

être au subjonctif présent   +   **participe passé**
                        ↓   ↓
que je sois...
que tu sois...
qu'il/elle/on soit...   • arrivé
que nous soyons...   • parti
que vous soyez...
qu'ils/elles soient...

Le subjonctif passé
☞ Voir les Références grammaticales, pages 214 à 216.

EXERCICE 2   *Conjuguez les verbes au subjonctif passé.*

1. Il faut que vous (terminer) _____ cette lettre avant deux heures.

2. Il faut que tu (envoyer) _____ les factures avant la fin du mois.

3. Il faut que nous (trouver) _____ une solution à notre problème avant lundi prochain.

4. Il faut qu'ils (corriger) _____ tous les documents avant de les envoyer aux clients.

5. Il faut que nous (doubler) _____ notre chiffre d'affaires avant l'an prochain.

6. Il faut qu'elle (traduire) _____ toute la documentation avant mercredi.

7. Il faut que je (partir) _____ d'ici avant cinq heures.

8. Il faut qu'elle (rentrer) _____ à la maison avant six heures.

9. Il faut que vous (revenir) _____ avant que les clients arrivent.

10. Il faut qu'ils (appeler) _____ tout le monde d'ici vendredi.

LA CONVERSATION TÉLÉPHONIQUE AU BUREAU

Voici quelques phrases clés souvent utilisées dans la conversation téléphonique au bureau. Faites-en la lecture et mémorisez celles qui pourront vous être utiles dans votre travail. Pratiquez bien votre prononciation.

QUAND VOUS RÉPONDEZ AU TÉLÉPHONE...

Lisez attentivement.

Dring, dring, dring !

(LA RÉCEPTIONNISTE) — Pierremont et Associés, bonjour !

(UN HOMME) — Bonjour, est-ce que je pourrais parler à M. Pierremont, s'il vous plaît ?

(LA RÉCEPTIONNISTE) — C'est de la part de qui ?

(L'HOMME) — Gilbert Deschamps.

(LA RÉCEPTIONNISTE) — Un moment. Je vais voir s'il peut prendre votre appel. Ne quittez pas.
Monsieur Deschamps, je vous remercie d'avoir attendu. M. Pierremont va vous répondre dans quelques secondes.

(M. DESCHAMPS) — C'est bien Madame, merci.

Pour connaître l'identité de votre interlocuteur :

- C'est de la part de qui, s'il vous plaît ?
- Puis-je savoir qui l'appelle ?

Si la personne demandée est disponible :

- Un instant s'il vous plaît.
- Un moment. Je vais voir s'il/si elle peut prendre votre appel.

Si la personne demandée n'est pas disponible :

- Monsieur.../madame... est déjà au téléphone. Désirez-vous patienter ?
- Monsieur.../madame... est en réunion en ce moment.
- Je regrette, monsieur.../madame... n'est pas ici présentement.
- Monsieur.../madame... est absent(e). Il/elle sera de retour demain.

Pour remercier votre interlocuteur d'avoir patienté :

- Monsieur.../Madame..., je vous remercie d'avoir patienté.
- Excusez-moi de vous avoir fait attendre.
- Monsieur.../Madame..., vous patientez toujours ?
  Très bien, ce ne sera plus très long.

Si votre interlocuteur a composé un mauvais numéro :

- Vous vous êtes trompé(e) de numéro, Monsieur/Madame.
- Vous avez composé le mauvais numéro, Monsieur/Madame.

QUAND VOUS VOULEZ PRENDRE UN MESSAGE...

Lisez attentivement.

Dring, dring, dring !

(LA RÉCEPTIONNISTE) — Pierremont et Associés, bonjour !

(UNE FEMME) — Bonjour, est-ce que je pourrais parler à M. Pierremont, s'il vous plaît ?

(LA RÉCEPTIONNISTE) — Je regrette, M. Pierremont est absent. Désirez-vous lui laisser un message ?

(LA FEMME) — Oui, c'est Lise Vautrin de la compagnie Levatec.

(LA RÉCEPTIONNISTE) — Pouvez-vous épeler votre nom, s'il vous plaît ?

(MME VAUTRIN) — Certainement. Vautrin : v, a, u, t, r, i, n.

(LA RÉCEPTIONNISTE) — Et à quel numéro de téléphone peut-on vous joindre ?

(MME VAUTRIN) — Au 789-0247.

(LA RÉCEPTIONNISTE) — C'est à quel sujet, Madame Vautrin ?

(MME VAUTRIN) — C'est au sujet du dossier de Mme Tremblay.

(LA RÉCEPTIONNISTE) — Très bien Madame. Je transmettrai votre message à M. Pierremont le plus tôt possible.

(MME VAUTRIN) — Merci Madame, au revoir !

(LA RÉCEPTIONNISTE) — Au revoir !

Lorsque vous prenez un message :

- Désirez-vous lui laisser un message ?
- Aimeriez-vous lui laisser un message ?
- Voulez-vous laisser un message ?

Pour connaître le nom de votre interlocuteur :

- Quel est votre nom ?
- Comment vous appelez-vous ?
- Vous êtes Monsieur.../Madame... ?

Pour vous assurer que vous avez bien écrit le nom de votre interlocuteur :

- Pouvez-vous épeler votre nom, s'il vous plaît ?

Pour prendre le numéro de téléphone en note :

- Quel est votre numéro de téléphone ?
- À quel numéro de téléphone peut-on vous joindre ?

Si vous désirez savoir pourquoi votre interlocuteur appelle :

- C'est à quel sujet ?
- Cela concerne quel dossier ?

Après avoir pris le message :

- C'est bien. Je lui ferai le message.
- Bien. Je transmettrai votre message à monsieur.../madame... le plus tôt possible.
- Très bien. Je lui remettrai votre message aussitôt que possible.

QUAND VOUS VOULEZ SERVIR UN CLIENT...

Lisez attentivement.

Dring, dring, dring !

(LA RÉCEPTIONNISTE) — Pierremont et Associés, bonjour !

(UNE FEMME) — Oui, bonjour, j'appelle à propos d'une facture que votre entreprise m'a envoyée...

(LA RÉCEPTIONNISTE) — Oui, Madame, que puis-je faire pour vous aider ?

(LA FEMME) — J'aimerais vérifier certains détails.

(LA RÉCEPTIONNISTE) — D'accord. Vous êtes Madame... ?

(LA FEMME) — Madame Dammiard.

(LA RÉCEPTIONNISTE)	–	Bien, Madame Dammiard, veuillez patienter un instant. Je vais vous mettre en communication avec M. Sansouci : il est responsable de la facturation. Un instant, s'il vous plaît.
(MᴹᴱDAMMIARD)	–	D'accord, merci.
(M. SANSOUCI)	–	André Sansouci à l'appareil.
(MᴹᴱDAMMIARD)	–	Bonjour, Monsieur. Je suis Paule Dammiard et j'aimerais obtenir certaines précisions concernant une facture que vous m'avez fait parvenir.
(M. SANSOUCI)	–	Certainement ! Si vous me permettez, je vais sortir votre dossier et je vous reviens à l'instant.
(MᴹᴱDAMMIARD)	–	Bien, je vais attendre.

Pour venir en aide à votre interlocuteur :

• Que puis-je faire pour vous aider ?
• Est-ce que je peux vous être utile ?

Pour transférer l'appel :

• Je vais transférer votre appel à monsieur.../madame...
• Je vais vous mettre en communication avec monsieur.../madame...

Si vous désirez vérifier des informations :

• Si vous me permettez, je vais sortir votre dossier et vous rappeler.
• Restez en ligne, je vais vérifier et je vous reviens.
• Je vais m'informer et je vous rappellerai aussitôt que possible.

☐ *QUAND C'EST VOUS QUI TÉLÉPHONEZ DANS UN BUREAU...* ☐

Lisez attentivement.

Dring, dring, dring !

(LA RÉCEPTIONNISTE)	–	Pierremont et Associés, bonjour !
(UN HOMME)	–	Bonjour, est-ce que je pourrais parler à Mᵐᵉ Leclerc, s'il vous plaît ?
(LA RÉCEPTIONNISTE)	–	Je regrette, Mᵐᵉ Leclerc n'est pas ici présentement.
(L'HOMME)	–	Savez-vous quand elle sera de retour ?

(LA RÉCEPTIONNISTE)	–	Elle devrait revenir vers trois heures. Désirez-vous lui laisser un message ?
(L'HOMME)	–	Oui, j'aimerais qu'elle me rappelle dès son retour.
(LA RÉCEPTIONNISTE)	–	Quel est votre nom ?
(L'HOMME)	–	Mon nom est Gilbert Deschamps.
(LA RÉCEPTIONNISTE)	–	Et à quel numéro de téléphone peut-on vous joindre ?
(M. DESCHAMPS)	–	Mon numéro de téléphone est 789-0247.
(LA RÉCEPTIONNISTE)	–	Très bien, Monsieur Deschamps. Je transmettrai votre message à Mme Leclerc le plus tôt possible.
(M. DESCHAMPS)	–	Je vous remercie, Madame. Au revoir !
(LA RÉCEPTIONNISTE)	–	Au revoir !

Lorsque vous appelez dans un bureau :

- Est-ce que je pourrais parler à monsieur.../madame..., s'il vous plaît ?

- Puis-je parler à monsieur.../madame..., s'il vous plaît ?

- Bonjour, j'aimerais parler à monsieur.../madame..., s'il vous plaît.

- Ici ..., de la compagnie... Pourrais-je parler à monsieur.../madame..., s'il vous plaît ?

Si la personne à qui vous désirez parler est absente :

- Savez-vous quand il/elle sera de retour ?

- Quand l'attendez-vous ?

- Vous l'attendez vers quelle heure ?

Lorsqu'on vous demande si vous désirez laisser un message :

- Oui, j'aimerais qu'il/elle me rappelle dès son retour.

- Oui, j'aimerais qu'il/elle me rappelle le plus tôt possible.

- Oui, pouvez-vous lui demander qu'il/elle me rappelle quand il/elle en aura la chance.

- Non, je le/la rappellerai plus tard, merci.

- Non, il sera difficile de me joindre aujourd'hui. Je préfère le/la rappeler plus tard, merci.

EXERCICE 3   *Pratiquez les phrases clés de la conversation téléphonique au bureau vues ci-dessus.*

    1. Vous êtes préposé au téléphone dans un bureau. Que dites-vous dans les situations suivantes ?

      a) Si vous désirez connaître l'identité de votre interlocuteur.

      _____

      b) Si la personne demandée est en réunion.

      _____

      c) Si la personne demandée n'est pas là.

      _____

      d) Si vous devez faire attendre votre interlocuteur.

      _____

      e) Si vous désirez remercier votre interlocuteur d'avoir patienté.

      _____

      f) Si vous voulez vérifier si la personne qui patiente est toujours en ligne.

      _____

      g) Si vous n'êtes pas certain d'avoir bien écrit le nom de votre interlocuteur et que vous voulez vérifier.

      _____

      h) Si vous voulez connaître le numéro de téléphone de l'interlocuteur.

      _____

      i) Si vous désirez savoir pourquoi votre interlocuteur appelle.

      _____

      j) Si vous voulez dire à votre interlocuteur que vous transmettrez le message.

      _____

      k) Si vous désirez offrir votre aide à l'interlocuteur.

      _____

      l) Si vous désirez mettre votre interlocuteur en communication avec une autre personne.

      _____

2. Vous téléphonez dans un bureau. Que dites-vous dans les situations suivantes ?

   a) Si vous désirez parler à M. Piedmont.

   _____

   b) Si vous désirez vous nommer dès le début de la conversation.

   _____

   c) Si la personne à qui vous voulez parler est absente et que vous voulez savoir quand elle sera de retour.

   _____

   d) Si on vous invite à laisser un message et que vous désirez en laisser un.

   _____

   e) Si on vous invite à laisser un message et que vous ne voulez pas en laisser un.

   _____

EXERCICE 4   *Trouvez les questions qui correspondent aux réponses.*

1. _____
Mon nom est Paule Ladouceur.

2. _____
Il devrait être de retour d'ici une heure.

3. _____
Oui, vous avez deux messages.

4. _____
Non, je le rappellerai plus tard.

5. _____
Vrowsky : v, r, o, w, s, k, y.

6. _____
C'était madame Joly.

7. _____
Il m'a rappelé parce qu'il avait oublié de me donner le numéro de son téléphone cellulaire.

8. _____

J'ai déposé vos messages sur votre bureau.

9. _____

Oui, je vais attendre.

10. _____

C'est au sujet d'une facture que vous m'avez envoyée.

11. _____

Je ne sais pas, il n'a pas voulu se nommer.

12. _____

Oui, je patiente toujours.

EXERCICE 5   *Conjuguez les verbes entre parenthèses en choisissant le temps approprié.*

1. Si j'avais su, je lui en (parler) _____ avant.

2. Ne (raccrocher) _____ pas ! Mon associé veut vous parler.

3. Il faut que tu (prendre) _____ les messages pendant mon absence.

4. Je vous remercie beaucoup et (s'excuser) _____ -moi encore une fois de vous avoir dérangé.

5. J'(attendre) _____ presque 15 minutes avant que quelqu'un me réponde.

6. Je lui (transmettre) _____ le message dès son retour.

7. J'(aimer) _____ parler à M. Ladouceur, s'il vous plaît.

8. Il faut que nous lui (téléphoner) _____ le plus tôt possible.

9. Il m'(épeler) _____ son nom trois fois et, malgré tout, je n'ai rien compris !

10. Si j'(pouvoir) _____ lui parler, je l'aurais remercié pour tout ce qu'il a fait pour nous.

OBSERVEZ :

J'appelle **Pierre**.   J'appelle **Marie**.   J'appelle **Pierre et Marie**.
Je **l'**appelle.   Je **l'**appelle.   Je **les** appelle.

mais

Je téléphone **à Pierre**.   Je téléphone **à Marie**.   Je téléphone **à Pierre et à Marie**.

Je **lui*** téléphone.   Je **lui** téléphone.   Je **leur** téléphone.

* **Les pronoms compléments indirects**
☞ Voir les Références grammaticales, pages 182 à 187.

EXERCICE 6   *Trouvez les pronoms compléments appropriés.*

1. Je dérange Pierre.   Je _____ dérange.

   Je dérange Marie.   Je _____ dérange.

   Je dérange Pierre et Marie.   Je _____ dérange.

2. Elles ont félicité Pierre.   Elles _____ ont félicité.

   Elles ont félicité Marie.   Elles _____ ont félicitée.

   Elles ont félicité Pierre et Marie.   Elles _____ ont félicités.

3. Tu parlais à Pierre.   Tu _____ parlais.

   Tu parlais à Marie.   Tu _____ parlais.

   Tu parlais à Pierre et à Marie.   Tu _____ parlais.

4. Vous auriez dû rappeler Pierre.   Vous auriez dû _____ rappeler.

   Vous auriez dû rappeler Marie.   Vous auriez dû _____ rappeler.

   Vous auriez dû rappeler Pierre et
   Marie.   Vous auriez dû _____ rappeler.

EXERCICE 7   *Trouvez une expression synonyme de chacun des mots ou groupes de mots soulignés.*

1. Je l'ai appelé ce matin.

   _____

2. Il vient juste de quitter.

   _____

3. Quel est votre numéro de téléphone à la maison ?

   _____

4. Elle désire avoir des renseignements.

   _____

5. Excusez-moi.

   _____

6. Nous avons parlé au téléphone.

   _____

7. Je prendrai mes appels quand j'aurai fini mon travail.

   _____

8. J'aimerais lui parler.

   _____

9. Ce système téléphonique est très bon.

   _____

10. Vous avez oublié de noter son numéro de téléphone.

   _____

EXERCICE 8 *Trouvez un antonyme de chacun des mots ou groupes de mots soulignés. (Vous ne pouvez pas utiliser la forme négative.)*

1. La ligne est <u>occupée</u>.

   _____

2. J'<u>ai décroché</u> le récepteur.

   _____

3. Il <u>a parlé</u> pendant la réunion.

   _____

4. Elle est d'une <u>politesse</u> incroyable !

   _____

5. Il <u>veut</u> vous parler.

   _____

6. Il devait <u>partir</u> ce matin.

   _____

7. Pouvez-vous <u>sortir</u> le dossier de M. Doucet ?

   _____

8. J'<u>ai pris</u> un message.

   _____

LES FORMULES DE POLITESSE

Voici quelques formules de politesse couramment utilisées. Elles pourront vous être particulièrement utiles lors de vos rencontres d'affaires et lors de vos sorties sociales.

Si l'on vous présente quelqu'un pour la première fois :

- Je suis enchanté(e).
- Enchanté(e).
- Je suis ravi(e) de faire votre connaissance.
- Ravi(e) de faire votre connaissance.

Si vous désirez présenter une personne à une autre personne :

- Monsieur X, je vous présente monsieur Y.
- Monsieur X, permettez-moi de vous présenter monsieur Y.

Lorsque vous partez :

- À bientôt !
- À la prochaine !
- Au revoir !
- J'espère que nous aurons l'occasion de nous revoir.
- J'ai été ravi(e) de faire votre connaissance.
- Au plaisir de vous revoir.

Lorsque vous avez commis une erreur :

- Excusez-moi.
- Toutes mes excuses.
- Pardonnez-moi.
- Je suis désolé(e).

Lorsqu'une autre personne a commis une erreur et qu'elle s'excuse :

- Ce n'est rien.
- Ce n'est pas grave.
- C'est déjà tout oublié.

Pour remercier quelqu'un :

- Je vous remercie beaucoup.
- J'apprécie énormément ce que vous avez fait pour moi.
- Je vous suis très reconnaissant(e).
- Vous m'avez rendu un très grand service.

Lorsque quelqu'un vous remercie :

- Il n'y a pas de quoi.
- Tout le plaisir est pour moi.
- De rien.
- Ça m'a fait plaisir.

Pour interrompre des personnes qui discutent ensemble :

- Excusez-moi de vous déranger...
- Excusez-moi de vous interrompre...
- Pardonnez-moi...

Pour féliciter quelqu'un :

- Toutes mes félicitations !
- Félicitations !
- Je vous félicite.
- Bravo !

EXERCICE 9   *Trouvez les répliques appropriées.*

1. Deux de vos supérieurs, M. Lemire et M. Nadon, discutent dans la salle de conférence. Vous avez besoin que M. Lemire signe immédiatement un document. Vous frappez à la porte et vous dites :

   _____

2. Vous avez rendu service à un client et il vous dit : « Vous m'avez rendu un très grand service ! » Vous pouvez lui dire :

   _____

3. Vous parlez avec une personne et, avant de partir, vous voulez lui dire que vous souhaitez la revoir. Vous pouvez lui dire :

_____

4. Quelqu'un vous annonce qu'il a obtenu une promotion. Vous pouvez lui dire :

_____

5. Vous désirez présenter votre conjoint(e) à Mme Legault. Vous dites :

_____

6. On vous présente à M. Larivière. Vous lui dites :

_____

7. Vous êtes debout et vous parlez avec quelqu'un. Tout en parlant, vous donnez accidentellement un coup de coude à la personne qui est derrière vous. Vous pouvez lui dire :

_____

8. Une personne s'excuse parce qu'elle vous a marché sur le pied. Vous pouvez lui dire :

_____

EXERCICE 10 *Trouvez les bonnes répliques.*

Mme Laniel et Mme Desforges, la patronne de Mme Laniel, sont à un souper-conférence.

(MME DESFORGES)   – Madame Laniel, je vous présente M. Lamontagne.

(MME LANIEL)   – _____

(M. LAMONTAGNE)   – Je crois que nous nous sommes déjà parlé au téléphone, n'est-ce pas ?

(MME LANIEL)   – En effet. J'étais responsable de votre campagne de publicité...

(UN INCONNU, s'adressant à Mme Laniel)
    – Oh ! Pardonnez-moi ! J'ai renversé du vin sur la manche de votre chandail.

(MME LANIEL)   – _____ . Ce chandail est lavable.

(M. LAMONTAGNE)   – _____, mais je dois partir. _____

_____ Madame Laniel.

(MME LANIEL)   – Moi de même. J'espère _____

(M. LAMONTAGNE) – Moi aussi, j'aimerais vous revoir bientôt. Nous devons planifier ma prochaine campagne de publicité. _____

_____

(MME LANIEL)   – Au revoir !

EXERCICE 11   *Composez un court dialogue dans lequel vous utiliserez au moins cinq formules de politesse.*

_____

_____

_____

_____

_____

_____

_____

_____

_____

_____

_____

_____

_____

_____

_____

EXERCICE 12   *Lisez attentivement.*

Il y a une solution à tout !

Il y a deux mois, M. Bigras a été nommé directeur d'une petite entreprise et il est très découragé parce que les employés ne sont pas disciplinés. Depuis plusieurs jours, quand M. Bigras rentre à la maison, il raconte ses problèmes à sa femme pendant le souper. Un soir, Nicolas, le jeune fils de M. Bigras, dit à son père : « Papa, dis-moi quel est ton problème ? »

(Le père, un peu surpris)
— Euh... Je suis découragé parce que les employés ne sont pas sérieux. Ils se promènent toute la journée dans le bureau, ils parlent entre eux et ça donne une très mauvaise image à l'entreprise. Peux-tu imaginer ce que les clients pensent quand ils arrivent et que tous les employés blaguent entre eux ?

(Nicolas) — Qu'est-ce que tu voudrais qu'ils fassent ?

(Le père) — Je voudrais tout simplement qu'ils s'assoient devant l'ordinateur et qu'ils tapent ! Ces ordinateurs ont coûté une fortune et ils ne s'en servent même pas. En plus, nous avons acheté des nouveaux dictaphones et ils ne les utilisent même pas !

(Nicolas) — Papa, j'ai la solution à ton problème !

(Le père, avec un rire ironique)
— Bien sûr ! Mon garçon de neuf ans sait mieux que moi ce qu'il faut faire pour que des employés soient disciplinés.

(Nicolas) — Donne-moi une chance ! Demain, après l'école, laisse-moi aller à ton bureau et accorde-moi une heure avec tes employés.

(Le père, désespéré)
— C'est entendu. Mais si tu ne réussis pas, je veux que tu fasses la vaisselle tous les soirs pendant un mois.

(Nicolas) — C'est d'accord ! Mais si je gagne, c'est toi qui feras la vaisselle.

Comme convenu, le lendemain après-midi, Nicolas est allé au bureau. M. Bigras a présenté son fils aux employés, puis il est parti.

Une heure plus tard, M. Bigras revient au bureau. À sa grande surprise, il voit tous les employés qui sont concentrés à l'ordinateur et les secrétaires qui ont sur la tête les écouteurs des dictaphones. M. Bigras rentre dans son bureau et dit à Nicolas : « Mais c'est incroyable ! Comment as-tu fait ça ? Tu les a payés ou quoi ? »

(NICOLAS) — Non, je ne veux pas te révéler mon secret tout de suite. Je veux attendre une semaine avant de te dire ma stratégie. De cette façon, tu auras la preuve que mes solutions sont toujours efficaces et durables, cher petit papa.

(M. BIGRAS) — Je n'en reviens pas. Allez, on rentre !

(NICOLAS) — Oui et n'oublie pas que c'est toi qui vas faire la vaisselle.

Les jours s'écoulent et M. Bigras ne peut pas en croire ses yeux. Ses employés sont tellement silencieux et concentrés qu'on pourrait entendre une mouche voler dans le bureau. Certains clients ont même félicité M. Bigras du merveilleux changement qui s'était produit dans le bureau. Au bout d'une semaine, M. Bigras ne peut plus attendre. Il va voir Nicolas qui est assis devant la télé et il lui dit : « Nicolas, je veux te féliciter. Tu ne m'as pas encore dit comment tu avais fait ça, mais je reconnais que tu es un vrai petit génie. J'ai des employés modèles depuis que tu leur as parlé. Il y a encore beaucoup de travail en retard, mais ils passent tellement d'heures devant les ordinateurs que je suis convaincu qu'ils rattraperont le temps perdu. »

(NICOLAS) — Je suis bien content de t'avoir rendu service, papa. J'ai remarqué que tu étais de meilleure humeur ces derniers jours, même si tu dois faire la vaisselle tous les soirs.

(LE PÈRE) — Alors, Nicolas, dis-moi, comment as-tu fait ça ?

(NICOLAS) — C'est très simple, papa. Dans chaque ordinateur, j'ai installé un jeu vidéo et j'ai placé des cassettes de musique dans les dictaphones. Pas bête, n'est-ce pas ?

Répondez aux questions sur le texte.

1. Depuis combien de temps M. Bigras est-il directeur ?

   _____

2. Pourquoi est-il découragé ?

   _____

   _____

3. Quels appareils les employés n'utilisent-ils pas ?

   _____

4. Quel âge a Nicolas ?

   _____

5. M. Bigras et son fils prennent un pari. Que doit faire le perdant ?

   _____

6. Dans le texte, trouvez une expression qui signifie la même chose que **c'est d'accord**.

   _____

7. Combien de temps Nicolas est-il resté seul avec les employés ?

   _____

8. Quelle expression indique que M. Bigras a de la difficulté à croire ce qu'il voit ?

   _____

9. De qui et pourquoi M. Bigras a-t-il reçu des félicitations ?

   _____

10. Comment Nicolas a-t-il capté l'attention des employés ?

   _____

THÈME 8

Les voyages

RÉVISION   *Répondez aux questions.*

1. Placez **en** ou **au**.

   a) Nous sommes allés _____ Chine.

   b) Nous sommes allés _____ Japon.

   c) Nous sommes allés _____ Australie.

   d) Nous sommes allés _____ Brésil.

   e) Nous sommes allés _____ Algérie.

   f) Nous sommes allés _____ Tunisie.

   g) Nous sommes allés _____ Floride.

2. Conjuguez les verbes suivants au conditionnel présent.

   a) visiter   b) aller

   _____   _____

   _____   _____

   _____   _____

   _____   _____

   _____   _____

   _____   _____

   c) faire   d) se baigner

   _____   _____

   _____   _____

   _____   _____

   _____   _____

   _____   _____

   _____   _____

3. Placez **qui** ou **que**.

   a) Avant de partir en voyage, je fais toujours une liste des choses _____ je dois apporter.

   b) J'aime faire des voyages _____ ne coûtent pas cher.

   c) Il y a des personnes _____ disent que voyager est un luxe.

   d) Il y a des agences de voyages _____ proposent des forfaits très intéressants.

   e) Quand je voyage, j'aime acheter des choses _____ je ne peux pas trouver ici.

4. Nommez les cinq continents.

   _____   _____

   _____   _____

   _____

5. Nommez les dix provinces du Canada.

   _____   _____

   _____   _____

   _____   _____

   _____   _____

   _____   _____

POUR DÉCIDER OÙ L'ON VA...

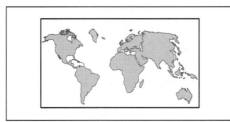

**On peut regarder
une mappemonde.**

**On peut regarder
un globe terrestre.**

**On peut lire
des brochures touristiques.**

**On peut consulter
un agent de voyages.**

QUAND VOUS VOYAGEZ...

**Apportez-vous
un appareil photo ?**

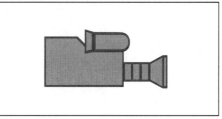

**Apportez-vous
une caméra vidéo ?**

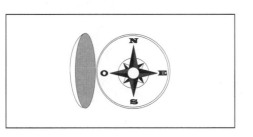

**Apportez-vous
une boussole ?**

**Envoyez-vous
des cartes postales ?**

EXERCICE 1 *Identifiez les attractions et dites dans quelle région du monde on peut les voir.*

le Taj Mahal – la tour Eiffel – le Big Ben – le Sphynx – une gondole – la statue de la Liberté – une corrida – le Colisée

1. Il s'agit du _____

_____ que l'on* peut voir en

_____

2. Il s'agit de la _____

_____ que l'on peut voir en

_____

3. Il s'agit du _____

_____ que l'on peut voir en

_____

4. Il s'agit du _____

_____ que l'on peut voir en

_____

5. Il s'agit d'une_____

_____ que l'on peut voir en

_____

6. Il s'agit de la _____

_____ que l'on peut voir à

_____

7. Il s'agit d'une_____

_____ que l'on peut voir à

_____

8. Il s'agit du _____

_____ que l'on peut voir en

_____

* **L'on**
☞ Voir les Références grammaticales, page 177.

LE SÉDENTAIRE ET LE VOYAGEUR

le sédentaire

- Je n'aime pas aller à l'étranger.
- Quand je pars longtemps, j'ai le mal du pays.
- Je trouve le temps long.
- Une croisière ? Plus jamais ! La dernière fois, j'ai eu le mal de mer.
- L'avion ? Plus jamais ! Je me sens comme un oiseau pris en cage dans ces engins.
- Dormir dans le lit d'un autre ? Non merci. J'aime mieux être dans mes affaires.

le voyageur

- J'aime aller à l'étranger.
- Le temps passe vite quand on voit du pays.
- Je me sens libre comme l'air quand je voyage.
- Quand je reste à la maison, je suis comme un lion en cage.
- Voyager m'ouvre des horizons nouveaux.

EXERCICE 2   *Êtes-vous du type sédentaire ou du type voyageur? Répondez aux questions en utilisant une ou plusieurs expressions mentionnées sous chacune des questions.*

1. La veille de votre départ en voyage, comment vous sentez-vous?

le sédentaire	le voyageur
– avoir les nerfs en boule	– ne plus tenir en place
– avoir des papillons dans l'estomac	– se comporter avec le plus grand calme
– chercher un prétexte (pour ne pas partir)	– nager dans le bonheur

_____

_____

_____

_____

2. Quand vous êtes à l'étranger, comment vous comportez-vous?

le sédentaire	le voyageur
– critiquer sans arrêt	– être pâmé d'admiration (devant tout ce qu'on voit)
– avoir le mal du pays	– trouver que le temps passe trop vite
– trouver le temps long	– se sentir comme chez soi
– se sentir mal à l'aise	– se sentir libre comme l'air

_____

_____

_____

_____

3. Quand vous rentrez de voyage, comment vous sentez-vous?

le sédentaire	le voyageur
– vouloir passer le reste de sa vie dans ses pantoufles	– avoir le cafard
– être content de retrouver le petit train-train quotidien	– broyer du noir

_____

_____

_____

_____

LES PAYS ET LEURS RESSOURCES

EXERCICE 3   *Répondez aux questions.*

1. Il y a des produits qui ne sont pas cultivés et fabriqués n'importe où dans le monde. Pour chacun des lieux de culture ou de fabrication, associez le nom d'une région. (Répondez aux questions en mettant la bonne préposition devant chaque nom de lieu.)

la Chine – le Brésil – le Québec – la Caroline du Nord – l'Afrique du Sud – la France

a) Où peut-on voir une mine de diamants ?

_____

b) Où peut-on visiter des vignobles renommés ?

_____

c) Où peut-on voir une rizière ?

_____

d) Où peut-on voir une plantation de café ?

_____

e) Où peut-on manger à la cabane à sucre ?

_____

f) Où peut-on visiter une plantation de coton ?

_____

2. Trouvez quatre autres lieux d'exploitation, de culture ou de fabrication qu'on peut voir ou visiter, en précisant dans quelles régions du monde ils sont situés.

_____

_____

_____

_____

PERSONNE... NE...

Personne... ne... = aucune personne

PERSONNE NE ME L'AVAIT DIT!

OBSERVEZ :

Avant de partir en voyage, **personne ne** lui avait dit qu'il devait apporter son passeport.
La conséquence : Il n'a pas pu partir parce qu'il n'avait pas son passeport !

Pendant qu'elle était au Mexique, **personne ne** lui avait dit que tous les chauffeurs d'autocar roulaient très vite.
La conséquence : Elle a eu la peur de sa vie !

Personne ne lui avait dit que ce n'était pas prudent de laisser des objets de valeur dans sa chambre d'hôtel.
La conséquence : Il s'est fait voler sa montre et ses chèques de voyage !

La négation *personne... ne...*
☞ Voir les Références grammaticales, pages 230 à 232.

EXERCICE 4 *Répondez aux questions.*

1. Pour répondre aux questions suivantes, utilisez l'expression **personne... ne...**

   a) Est-ce que quelqu'un lui avait dit que les gens conduisaient à gauche en Angleterre ?

   Non, _____

   b) Est-ce que quelqu'un leur avait dit où était situé le musée ?

   Non, _____

   c) Est-ce que quelqu'un vous avait dit de ne pas boire l'eau du robinet ?

   Non, _____

   d) Est-ce que quelqu'un t'avait dit de t'habiller bien chaudement pour l'excursion ?

   Non, _____

   e) Est-ce que quelqu'un vous avait dit de réserver une chambre d'hôtel au moins six mois à l'avance ?

   Non, _____

2. Quand vous êtes allés en voyage, est-ce qu'il y a des choses que personne ne vous avait dites et que vous auriez aimé savoir ? Avez-vous eu des mauvaises surprises parce que vous n'étiez pas au courant de certaines choses ?

   _____

   _____

   _____

   _____

   _____

   _____

   _____

   _____

LES SEPT MERVEILLES DU MONDE

EXERCICE 5   *Testez vos connaissances !*

1. Chaque définition correspond à une des sept merveilles du monde. Identifiez-les en indiquant si vous êtes certain(e) ou non de votre réponse.

les pyramides d'Égypte – le phare d'Alexandrie – les jardins de Babylone – le temple de Diane à Éphèse – le Mausolée – Zeus de Phidias – le colosse de Rhodes

a) Célèbre sanctuaire édifié en l'honneur de cette déesse romaine de la chasse et de la nature sauvage.

Je pense qu'il s'agit du_____
ou
Je suis certain(e) qu'il s'agit du _____

b) Monuments funéraires évoquant les rayons solaires et symbolisant l'escalier qui facilitait l'ascension du pharaon décédé vers le dieu Rê.

Je pense qu'il s'agit des _____
ou
Je suis certain(e) qu'il s'agit des _____

c) Tombeau de Mausole, souverain célèbre de Carie (ancien pays d'Asie Mineure).

Je pense qu'il s'agit du_____
ou
Je suis certain(e) qu'il s'agit du _____

d) Situé dans un port d'Égypte, sa hauteur de plus de 120 mètres l'a rendu très célèbre.

Je pense qu'il s'agit du_____
ou
Je suis certain(e) qu'il s'agit du _____

e) Située en Grèce, cette énorme statue d'Apollon, en bronze, a été renversée par un séisme en 227 avant Jésus-Christ.

Je pense qu'il s'agit du_____
ou
Je suis certain(e) qu'il s'agit du _____

f) Sculpture du dieu suprême du panthéon grec qui a été réalisée par le célèbre sculpteur grec qui avait été chargé de diriger les travaux du Parthénon.

Je pense qu'il s'agit du _____

ou

Je suis certain(e) qu'il s'agit du _____

g) Œuvre qui, selon la tradition grecque, aurait été réalisée grâce à la reine légendaire Sémiramis.

Je pense qu'il s'agit des _____

ou

Je suis certain(e) qu'il s'agit des _____

2. De ces sept ouvrages datant de l'Antiquité, un seul existe encore. De quelle merveille s'agit-il ?

Il s'agit des_____

EXERCICE 6   *Dans chacune des phrases, placez l'adverbe de lieu* qui convient le mieux.*

ici – là – ailleurs – loin – près – partout – quelque part – là-bas

1. Chaque année, nous allons au même endroit. Cette année, j'aimerais bien aller _____

2. Regarde sur la carte routière : nous sommes situés _____ et nous devons nous rendre _____

3. Nous avons fait un merveilleux voyage ! _____ où nous sommes allés, il y avait toujours quelque chose à découvrir.

4. – Regarde l'âne qui se promène avec deux gros paniers.
   – Où ça ?
   – Tu vois le petit pont ? Il est tout _____

5. Nous partirons très tôt demain matin et nous nous arrêterons _____ _____ pour manger.

6. La gare est trop _____ pour qu'on y aille à pied.

7. Il y a vraiment trop de bruit dans cet hôtel. Nous devrions aller rester _____

8. J'ai cherché _____ des films pour mon appareil photo et je n'en ai pas trouvé. Ils doivent sûrement en vendre _____

9. On devrait aller s'asseoir _____ . Il y a moins de monde qu' _____

10. Ils sont partis _____ , mais je ne sais pas exactement où.

---

* Les adverbes de lieu
☞ Voir les Références grammaticales, page 229.

LE PASSÉ SIMPLE

Le passé simple est un temps qui est surtout utilisé dans la narration écrite. Il sert à situer un fait passé à un moment précis. Dans la conversation, on emploie surtout le passé composé. Quand on lit des œuvres littéraires ou des livres d'histoire, il est précieux de connaître le passé simple.

NOTEZ :

La 1re personne et la 2e personne du pluriel (nous et vous) ne sont plus utilisées au passé simple. Vous pouvez concentrer votre étude sur la 1re, la 2e et la 3e personne du singulier et sur la 3e personne du pluriel.

---

1. Les terminaisons pour les verbes du 1er groupe.

		Exemple : parl**er**
je...	radical + **ai**	je parl**ai**
tu...	radical + **as**	tu parl**as**
il/elle/on...	radical + **a**	il/elle/on parl**a**
–		–
–		–
ils/elles...	radical + **èrent**	ils/elles parl**èrent**

2. Les terminaisons pour les verbes du 2e groupe.

		Exemple : fin**ir**
je...	radical + **is**	je fin**is**
tu...	radical + **is**	tu fin**is**
il/elle/on...	radical + **it**	il/elle/on fin**it**
–		–
–		–
ils/elles...	radical + **irent**	ils/elles fin**irent**

3. Les terminaisons pour les verbes du 3^e groupe (deux types).

			Exemple : **prendre**
a)	je...	radical + **is**	je pr**is**
	tu...	radical + **is**	tu pr**is**
	il/elle/on...	radical + **it**	il/elle/on pr**it**
	–		–
	–		–
	ils/elles...	radical + **irent**	ils/elles pr**irent**

Exemple : **courir**

b) je...	radical + **us**	je cour**us**
tu...	radical + **us**	tu cour**us**
il/elle/on...	radical + **ut**	il/elle/on cour**ut**
–		–
–		–
ils/elles...	radical + **urent**	ils/elles cour**urent**

4. Quatre verbes irréguliers au passé simple.

Avoir	**Être**	**Faire**	**Aller**
j'eus	je fus	je fis	j'allai
tu eus	tu fus	tu fis	tu allas
il/elle/on eut	il/elle/on fut	il/elle/on fit	il/elle/on alla
–	–	–	–
–	–	–	–
ils/elles eurent	ils/elles furent	ils/elles firent	ils/elles allèrent

Le passé simple
☞ Voir les Références grammaticales, pages 198 à 200.

D'UNE ÉPOQUE À L'AUTRE

Quand on visite des endroits historiques, on peut remarquer que les noms des siècles ou ceux des dynasties sont souvent inscrits en chiffres romains.

LES CHIFFRES ROMAINS

Les chiffres du système romain désignent les nombres suivants :

I = 1	III = 3	X = 10	C = 100	M = 1 000
II = 2	V = 5	L = 50	D = 500	

1. Quand un chiffre est placé à la **gauche** d'un chiffre de valeur supérieure, il faut le **soustraire**.

   Exemple : IV = 4   (5 − 1)

2. Quand un chiffre est placé à la **droite**, on l'**additionne**.

   Exemple : VI = 6   (5 + 1)

EXERCICE 7   *Écrivez, en lettres, les nombres écrits en chiffres romains. (Observez les verbes conjugués au passé simple écrits en caractères gras).*

1. Louis XIV (_____) **fit** construire le palais de Versailles au XVIIe * (_____) siècle.

2. C'est sous le règne de Louis XVI (_____) au XVIIIe (_____) siècle qu'**éclata** la Révolution française.

3. La Muraille de Chine **fut** construite au IIIe (_____) siècle avant Jésus-Christ et son parcours actuel date de l'époque de la dynastie des Ming qui **régna** du XVe (_____) siècle au XVIIe (_____) siècle.

4. La Tour de Londres **fut** construite au XIe (_____) siècle sous le règne de Guillaume le Conquérant.

5. C'est au XXe (_____) siècle que l'Homme **commença** à faire des voyages interplanétaires.

---

* Les adjectifs numéraux ordinaux
☞ Voir les Références grammaticales, page 175.

UNE PAGE D'HISTOIRE

EXERCICE 8   *Complétez les phrases en utilisant le passé simple.*

1. Christophe Colomb (découvrir) _____ l'Amérique lors de son voyage en 1492.

2. Jacques Cartier (prendre) _____ possession du Canada en 1534.

3. La ville de Québec (être) _____ fondée par Samuel de Champlain en 1608.

4. Paul de Chomedey de Maisonneuve (fonder) _____ Ville-Marie en 1642, ville qui (devenir) _____ plus tard Montréal.

5. Au XIXᵉ siècle, Monseigneur Antoine Labelle (contribuer) _____ _____ énormément au développement de la région des Laurentides. C'est grâce à son initiative qu'on (construire) _____ un chemin de fer qui (permettre) _____ de relier Les Laurentides et Montréal.

6. Les Jeux olympiques (avoir) _____ lieu à Montréal en 1976.

EXERCICE 9   *Lisez attentivement.*

Le coquillage

Un jour à la plage
Je ramassai un coquillage
Qui contenait de belles images
Qu'il collectionna durant son long voyage
De la mer au rivage

Sur le sable chaud et doré
Je commençai à rêver
Au rythme des vagues agitées
Sous un ciel ensoleillé

J'imaginai être un coquillage aventurier
Qui naviguait dans l'eau bleue et salée
Parmi les poissons rassemblés
Qui dansaient pour fêter la marée

Soudainement de l'eau tomba sur mon visage
Au-dessus de ma tête s'annonçait un orage
Je pris rapidement tous mes bagages
En n'oubliant pas d'y ranger mon coquillage.

Répondez aux questions sur le texte.

1. Où se déroule l'action de ce poème ?

_____

2. Que contenait le coquillage ?

_____

3. Quel voyage fit le coquillage ?

_____

4. Qui s'imaginait être un coquillage aventurier ?

_____

5. Pourquoi les poissons étaient-ils rassemblés ?

_____

6. Pourquoi le **je** du poème quitta-t-il la plage ?

_____

7. Qu'est-ce que le **je** du poème rangea dans ses bagages ?

_____

8. Dans le poème, six verbes sont conjugués au passé simple. Lesquels ?

_____   _____

_____   _____

_____   _____

EXERCICE 10   *Utilisez vos talents de poète pour replacer chacun des mots clés au bon endroit.*

Le voyage des mots

assis – vie – bruit – fis

Le plus beau voyage de ma _____

Fut celui que je _____

Alors que j'étais confortablement _____

Et qu'il n'y avait pas un _____

parler – rêver – nationalités – promener

Je me mis à _____

Que toutes les langues je savais _____

À travers le monde je pouvais me_____

Et discuter avec des gens de toutes les _____

entier – voyager – réalisai – clé

C'est alors que je_____

Que le langage est une véritable_____

Qui peut nous permettre de_____

Et de découvrir le monde_____

éclaire – taire – univers – mystères

Chaque langue est remplie de_____

Qui méritent qu'on les _____

Mais il faut aussi parfois se _____

Pour réellement comprendre son _____

PARTIE *II*

Références grammaticales

1
Les noms

EXERCICE 1 *À l'aide de la liste, identifiez les objets suivants et ajoutez les articles appropriés.*

pince à linge – casserole – balai – fer à repasser – ruban – fil et aiguille – bouilloire – porte-poussière

À la maison

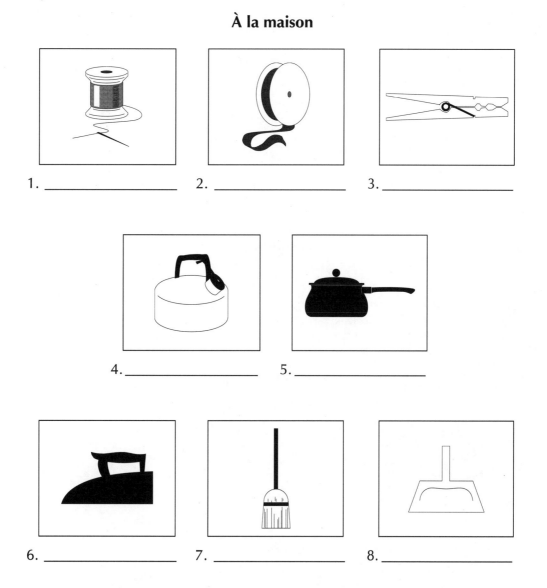

1. _____   2. _____   3. _____

4. _____   5. _____

6. _____   7. _____   8. _____

EXERCICE 2   *À l'aide de la liste, identifiez les objets suivants et ajoutez les articles appropriés.*

collier – bague – sac à main – bracelet – cravate – nœud papillon

Les accessoires

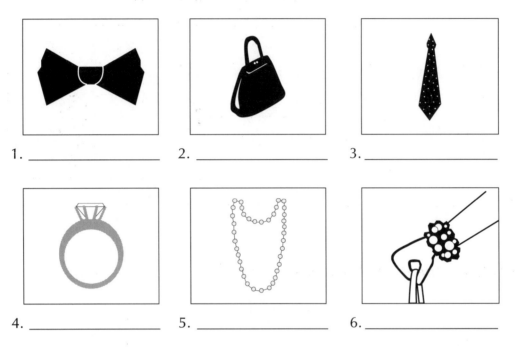

1. _____   2. _____   3. _____

4. _____   5. _____   6. _____

EXERCICE 3   *À l'aide de la liste, identifiez les objets suivants et ajoutez les articles appropriés.*

bâton de hockey et rondelle – gants de boxe – masque de gardien de but – haltères – raquette de tennis – filet de hockey – ballon de football – gant de baseball – casque de football

Les articles de sport

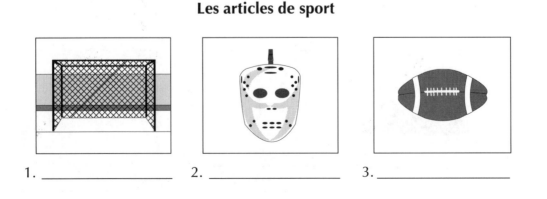

1. _____   2. _____   3. _____

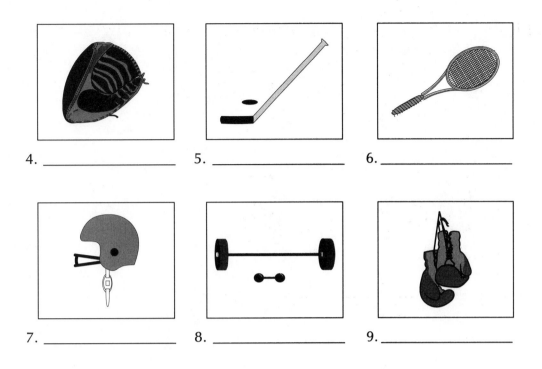

4. _____   5. _____   6. _____

7. _____   8. _____   9. _____

EXERCICE 4   *Identifiez les quatre cartes.*

1. _____

2. _____

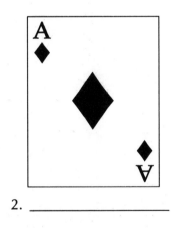

3. _____

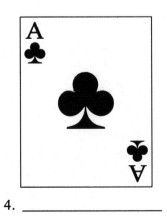

4. _____

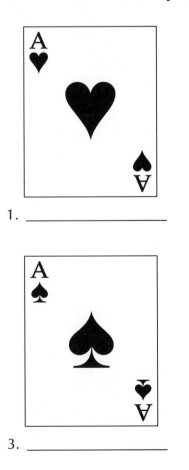

2
Les articles

LES ARTICLES DÉFINIS

	Masculin	Féminin
Singulier	le, l′	la, l′
Pluriel	les	les

LES ARTICLES INDÉFINIS

	Masculin	Féminin
Singulier	un	une
Pluriel	des	des

NOTEZ :

Dans une phrase à la forme négative, l'article indéfini est remplacé par **de**.

Exemple :   J'ai **une** question.
            Je **n**'ai **pas de** question.

LES ARTICLES CONTRACTÉS
AVEC LA PRÉPOSITION À

	Masculin	Féminin
Singulier	au, à l′	à la, à l′
Pluriel	aux	aux

LES ARTICLES PARTITIFS

	Masculin	**Féminin**
Singulier	du, de l'	de la, de l'
Pluriel	des	des

NOTEZ:

Dans une phrase à la forme négative, l'article partitif est remplacé par **de**.

Exemple :   Il écoute **de la** musique.
              Il **n'**écoute **pas de** musique.

EXERCICE 1   *Placez* le *ou* la *devant les noms suivants.*

La maison

1. _____ plancher

2. _____ plafond

3. _____ mur

4. _____ tapis

5. _____ toit

6. _____ comptoir

7. _____ meuble

8. _____ bibliothèque

9. _____ foyer

10. _____ fauteuil

11. _____ salon

12. _____ chambre

13. _____ salle de bain

14. _____ sous-sol

15. _____ grenier

16. _____ cuisine

17. _____ salle à manger

18. _____ portique

19. _____ cave

20. _____ garage

EXERCICE 2   *Placez* le *ou* la *devant les noms suivants.*

Les livres et les autres écrits

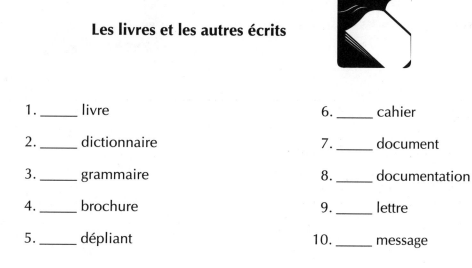

1. _____ livre
2. _____ dictionnaire
3. _____ grammaire
4. _____ brochure
5. _____ dépliant

6. _____ cahier
7. _____ document
8. _____ documentation
9. _____ lettre
10. _____ message

EXERCICE 3   *Placez* le, la, *ou* les *devant les noms suivants.*

L'argent

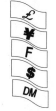

1. _____ dollar
2. _____ monnaie
3. _____ portefeuille
4. _____ porte-monnaie
5. _____ carte de crédit
6. _____ compte en banque
7. _____ dépôts
8. _____ retrait

9. _____ placements
10. _____ salaire
11. _____ revenu
12. _____ chèques
13. _____ paiement
14. _____ prêt
15. _____ tirelire
16. _____ budget

EXERCICE 4   *Placez* un *ou* une *devant les noms suivants.*

Les espaces naturels et les cours d'eau

1. _____ île

2. _____ montagne

3. _____ plaine

4. _____ bois

5. _____ forêt

6. _____ vallée

7. _____ ruisseau

8. _____ lac

9. _____ rivière

10. _____ fleuve

11. _____ mer

12. _____ océan

EXERCICE 5   *Placez* un, une *ou* des *devant les noms suivants.*

Les événements sociaux et culturels

1. _____ sortie

2. _____ soirée

3. _____ cocktail

4. _____ rendez-vous

5. _____ fêtes

6. _____ anniversaire

7. _____ conférences

8. _____ foire

9. _____ pièce de théâtre

10. _____ spectacles

11. _____ concert

12. _____ vernissage

13. _____ remise de prix

14. _____ parade

15. _____ défilé

16. _____ carnaval

EXERCICE 6   *Complétez en choisissant les prépositions et les articles qui sont appropriés.*

1. Ils travaillent_____ lundi _____ vendredi, _____ neuf heures _____ cinq heures.

2. Elle est allée _____ bureau de poste, car elle n'avait plus _____ timbres.

3. Ils ont parlé _____ directrice _____ compagnie Falbala.

4. Ils ont oublié d'envoyer _____ brochures _____ clients.

5. Il a vu _____ emploi intéressant dans _____ journal *Le Quotidien*.

6. Elle a lu _____ livre *Le Secret mystérieux* _____ première page _____ dernière page.

7. Il voulait acheter _____ disque mais, quand il est arrivé _____ caisse, il a réalisé qu'il n'avait pas _____ argent dans son portefeuille.

8. Elle est allée_____ lave-auto et, ensuite, elle est allée _____ pharmacie.

3
Les adjectifs

LES ADJECTIFS QUALIFICATIFS

L'adjectif qualificatif s'accorde en **genre** (masculin ou féminin) et en **nombre** (singulier ou pluriel) avec le **nom** qu'il qualifie.

Exemples :   Il est grand.   Elle est grand**e**.

   Ils sont studieux.   Elles sont studi**euses**.

EXERCICE 1   *Pour chacun des noms, trouvez l'adjectif qualificatif appartenant à la même famille.*

Les qualités et les défauts

Exemple :

Nom	Adjectif au masculin	Adjectif au féminin
la paresse	paresseux	paresseuse

Nom	Adjectif au masculin	Adjectif au féminin
1. le respect	_____	_____
2. l'honnêteté	_____	_____
3. l'amabilité	_____	_____
4. l'activité	_____	_____
5. l'agressivité	_____	_____
6. la ponctualité	_____	_____
7. la perfection	_____	_____
8. la nervosité	_____	_____
9. l'anxiété	_____	_____

10. la gentillesse   _____   _____

11. la fierté   _____   _____

12. la politesse   _____   _____

EXERCICE 2   *Pour chacun des verbes, trouvez l'adjectif qualificatif appartenant à la même famille.*

Les couleurs

Verbe	Adjectif au masculin	Adjectif au féminin
1. rougir	_____	_____
2. blanchir	_____	_____
3. verdir	_____	_____
4. noircir	_____	_____
5. jaunir	_____	_____
6. brunir	_____	_____

EXERCICE 3   *Complétez en trouvant les adjectifs qualificatifs appropriés.*

Les dimensions

1. Agrandir, c'est rendre plus _____

2. Élargir, c'est rendre plus _____

3. Allonger, c'est rendre plus _____

4. Épaissir, c'est rendre plus _____

5. Grossir, c'est rendre plus _____

6. Rapetisser, c'est rendre plus _____

DE L'ADJECTIF À L'EXPRESSION

EXERCICE 4 *Complétez en trouvant dans chaque cas le bon adjectif. Puis, trouvez l'animal auquel est associé la qualité ou le défaut.*

un lion	un agneau	un lézard	une tortue
une mule	un paon	une couleuvre	un renard

1. Il a de la ruse.

   Il est _____

   Il est _____ comme _____

2. Quand il a une idée dans la tête, il la garde !

   Il est _____

   Il est _____ comme _____

3. Il fait preuve de douceur.

   Il est _____

   Il est _____ comme _____

4. Il fait preuve de courage.

   Il est _____

   Il est _____ comme _____

5. Il fait preuve de paresse.

   Il est _____

   Il est _____ comme _____

6. Il fait preuve de lenteur.

   Il est _____

   Il est _____   comme _____

7. Il a de l'orgueil.

   Il est _____

   Il est _____   comme _____

8. Il fait preuve de vivacité dans ses réactions.

   Il est _____

   Il est _____   comme _____

LES ADJECTIFS POSSESSIFS

Masculin singulier	Féminin singulier	Masculin et féminin pluriel
mon	ma*	mes
ton	ta	tes
son	sa	ses
notre	notre	nos
votre	votre	vos
leur	leur	leurs

* **Ma**, **ta**, **sa** deviennent **mon**, **ton**, **son** devant une **voyelle** ou un **h muet**.

LES ADJECTIFS DÉMONSTRATIFS

	Masculin	Féminin
Singulier	ce, cet*	cette
Pluriel	ces	ces

* **Cet** est utilisé devant une **voyelle** ou un **h muet**.

LES ADJECTIFS NUMÉRAUX ORDINAUX

Les adjectifs numéraux ordinaux permettent de déterminer l'**ordre** ou le **rang**.

On forme l'adjectif numéral ordinal en ajoutant **-ième** à la fin de l'adjectif numéral cardinal.

Exemples :	**Adjectif numéral cardinal**	**Adjectif numéral ordinal**
	deux	deux**ième**
	quatorze	quatorz**ième**
	dix-sept	dix-sept**ième**
	trente et un	trente et un**ième**
	cent	cent**ième**

NOTEZ :

L'adjectif ordinal qui correspond au nombre **un** (1) est **premier**.

4
Les pronoms

LES PRONOMS PERSONNELS SUJETS

	Singulier	**Pluriel**
1re personne	je	nous
2e personne	tu	vous
3e personne	il, elle	ils, elles

LE PRONOM INDÉFINI ON

1. Dans la conversation, **on** peut équivaloir à **nous**.

    Exemples : Louise et moi, on a acheté une maison.
    Hier soir, on est partis à huit heures.

    Quand **on** équivaut à **nous**, il faut accorder le participe passé et l'attribut, comme si c'était **nous**, mais l'auxiliaire **être** reste à la 3e personne du singulier.

2. **On** peut signifier **tout le monde** ou une **personne non précisée**.

    Exemples : On dit que l'argent ne fait pas le bonheur.
    Dans la vie, on ne peut pas tout avoir.
    On m'a volé mon portefeuille.

    Quand **on** signifie **tout le monde** ou une **personne non précisée**, le participe passé et l'attribut restent au masculin singulier.

NOTEZ :

En général, pour une question de son, il est préférable de remplacer **on** par **l'on** après : **et**, **ou**, **où**, **que**, **à qui**, **à quoi** et **si**.

Exemples : On ira à l'exposition en métro **et l'on** reviendra en autobus.
Ils m'ont dit **que l'on** aurait des nouvelles bientôt.
On devrait partir tout de suite **si l'on** veut arriver à temps.

LES PRONOMS PERSONNELS – FORME FORTE

	Singulier	Pluriel
1re personne	moi	nous
2e personne	toi	vous
3e personne	lui, elle	eux, elles

QUAND UTILISER LES PRONOMS PERSONNELS – FORME FORTE

1. Après une préposition.

    Exemples :   Ce cahier est **à moi**.   Ils sont venus **chez nous**.
                 J'ai un cadeau **pour toi**.   Votre sac est **derrière vous**.
                 Il est arrivé **avant elle**.   Tu devrais travailler **avec elles**.
                 Elle est partie **après lui**.   Il s'est assis **devant eux**.

2. Après **c'est** et **ce sont**.

    Exemples :   **C'est moi** qui décide !
                 Ce sont eux qui décident !

NOTEZ :

Même si **nous** et **vous** sont pluriels, on dit **c'est**.

Exemples :   **C'est** nous qui prenons l'automobile.
             C'est vous qui êtes arrivés les premiers.

---

3. Pour insister sur un nom ou un pronom.

    Exemples :   **Vous**, Madame Charland, qu'en pensez-vous ?
                 Toi, tu es gentil !
                 Lui, il est méchant !

4. Avec **même**.

	Singulier	Pluriel
1re personne	moi-même	nous-mêmes
2e personne	toi-même	vous-mêmes
3e personne	lui-même, elle-même	eux-mêmes, elles-mêmes

EXERCICE 1 *Répondez aux questions en suivant l'exemple.*

Exemple : Est-ce que c'est à toi ?
　　　　　(Pierre) Non, ce n'est pas à moi. C'est à lui.

1. Est-ce que c'est à eux ?

   (Louise et Ariane) Non, _____

2. Est-ce que c'est pour moi ?

   (Alain) Non, _____

3. Est-ce que c'est pour nous ?

   (Luc et Gilbert) Non, _____

4. Est-ce qu'il est arrivé avant toi ?

   Non, _____ , mais il est arrivé avant (Pauline)

   _____

5. Est-ce que tu es parti après elle ?

   Non, _____ , mais je suis parti après (Marc et Jean)

   _____

EXERCICE 2 *Répondez aux questions en suivant l'exemple.*

Exemple : Est-ce que c'est Paul qui a écrit ce livre ?
　　　　　Oui, c'est lui.

1. Est-ce que c'est toi qui as fait ça ?

   Oui, _____

2. Est-ce que ce sont eux qui doivent venir ou si c'est nous qui devons y aller ?

   Je pense que _____ qui doivent venir.

3. Est-ce que ce sont Marie et Lucie qui ont envoyé les fleurs ?

   Oui, _____

4. Est-ce que c'est Pierre qui a fait du café ?

   Non, _____

5. Est-ce que c'est Réjane et moi qui irons à la conférence ?

Oui, _____

6. Est-ce que c'est Sébastien qui a pris mon dictionnaire ?

Oui, _____

EXERCICE 3   *Complétez les phrases comme dans l'exemple suivant.*

Exemple : **Nous**, nous n'allons pas au restaurant.

1. _____ , je ne comprends rien !

2. _____ , il croit qu'il a toujours raison !

3. _____ , tu devrais faire plus attention.

4. _____ , ils sont partis depuis longtemps.

EXERCICE 4   *Complétez les phrases comme dans l'exemple suivant.*

Exemple : Ils ont construit ce pont **eux-mêmes**.

1. J'ai fait ce chandail _____

2. Il devait poster les documents, mais finalement il est venu les porter _____

3. Ce n'est pas moi qui ai décidé. Ce sont _____ qui ont décidé d'attendre avant de signer le contrat.

4. Vous devriez annoncer la nouvelle aux employés _____

5. Je ne suis pas convaincu que je devrais accepter cette proposition. _____ , tu trouves que cette affaire est risquée.

LES PRONOMS COMPLÉMENTS

LES PRONOMS COMPLÉMENTS DIRECTS

	Singulier	Pluriel
1re personne	me	nous
2e personne	te	vous
3e personne	le, la, l'	les

QUAND UTILISER UN PRONOM COMPLÉMENT DIRECT

1. Quand on peut poser la question **qui ?** ou **quoi ? après le verbe**.

2. Quand le complément d'objet direct est précédé d'un **article défini** (**le**, **la**, **l'**, **les**), d'un **adjectif possessif** (**mon**, **ton**, **son...**) ou d'un **adjectif démonstratif** (**ce**, **cet**, **cette**, **ces**).

   Exemples : Je lis **le** journal. → Je **le** lis.

   J'ai **ce** disque. → Je **l'**ai.

LA PLACE DU PRONOM COMPLÉMENT DIRECT

1. Quand le verbe est conjugué à un **temps simple** (comme au présent, à l'imparfait), on place le pronom complément direct **avant le verbe**.

   Exemples : J'utilise le télécopieur.
   Je **l'**utilise.

   Il prenait l'autobus tous les matins.
   Il **le** prenait tous les matins.

2. Quand le verbe est conjugué à un **temps composé** (comme au passé composé, au plus-que-parfait), on place le pronom complément direct **avant l'auxiliaire**.

   Exemples : J'ai reçu les factures.
   Je **les** ai reçues.

   Ils avaient vu le film l'an passé.
   Ils **l'**avaient vu l'an passé.

NOTEZ :

Quand le complément direct est **avant l'auxiliaire avoir**, le participe passé doit être accordé avec le complément direct.

---

3. Quand le verbe conjugué est **suivi d'un infinitif** (comme au futur immédiat, après les verbes **pouvoir**, **devoir**, **vouloir**), on place le pronom complément direct **avant l'infinitif**.

Exemples : Il va faire ses exercices ce soir.
Il va **les** faire ce soir.

Elle doit remplir les formulaires.
Elle doit **les** remplir.

Nous voulons réussir l'examen.
Nous voulons **le** réussir.

LES PRONOMS COMPLÉMENTS INDIRECTS

	Singulier	**Pluriel**
1re personne	me	nous
2e personne	te	vous
3e personne	lui	leur

QUAND UTILISER UN PRONOM COMPLÉMENT INDIRECT

Quand on peut poser la question **à qui ?** ou **à quoi ? après le verbe**. C'est le cas de beaucoup de verbes qui sont suivis de la préposition **à**.

Exemples : Je parle à ma sœur.
Je **lui** parle.

Ils avaient écrit à leurs parents.
Ils **leur** avaient écrit.

Il parle à ses plantes.
Il **leur** parle.

LA PLACE DU PRONOM COMPLÉMENT INDIRECT

1. Quand le verbe est conjugué à un **temps simple** (comme au présent, à l'imparfait), on place le pronom complément indirect **avant le verbe**.

Exemples : Je pose des questions au professeur.
Je **lui** pose des questions.

Tu demandes la permission à tes parents.
Tu **leur** demandes la permission.

Nous téléphonions à nos amis à l'occasion.
Nous **leur** téléphonions à l'occasion.

2. Quand le verbe est conjugué à un **temps composé** (comme au passé composé, au plus-que-parfait), on place le pronom complément indirect **avant l'auxiliaire**.

Exemples : J'avais laissé un message à la secrétaire.
Je **lui** avais laissé un message.

Elle avait acheté des cadeaux aux enfants.
Elle **leur** avait acheté des cadeaux.

3. Quand le verbe conjugué est **suivi d'un infinitif** (comme au futur immédiat, après les verbes **devoir, pouvoir, vouloir**), on place le pronom complément indirect **avant l'infinitif**.

Exemples : Il va distribuer cette feuille à tous les membres du personnel.
Il va **leur** distribuer cette feuille.

Nous pouvons parler au directeur.
Nous pouvons **lui** parler.

LE PRONOM EN

QUAND UTILISER LE PRONOM EN

1. Quand on peut poser la question **qui?** ou **quoi? après le verbe**.

2. Quand le complément d'objet direct est précédé d'un **article indéfini** (**un, une, des**) ou d'un **article partitif** (**du, de la, de l', des**).

Exemples : Il prépare du café tous les matins.
Il **en** prépare tous les matins.

Nous avions commandé du papier.
Nous **en** avions commandé.

NOTEZ :

Quand le nom complément direct est précédé de **un** ou **une** ou d'un **nombre précis**, on conserve ce mot dans la phrase.

Exemples : Elle a **un** chat. → Elle en a **un**.

Il a **deux** chiens. → Il en a **deux**.

LE PRONOM Y

QUAND UTILISER LE PRONOM Y

On utilise souvent le pronom **y** pour remplacer un **nom de lieu**.

Exemples :   Ils sont allés en France.
Ils **y** sont allés.

Nous aimerions aller au Mexique.
Nous aimerions **y** aller.

L'ORDRE DES PRONOMS COMPLÉMENTS

Pronoms compléments

... NE	me	le	lui	y	en	... PAS
	te	la	leur			
	se	les				
	nous					
	vous					

Exemples :   Louis me lance le ballon.   →   Il **me le** lance.
Marc lance la balle à Martine.   →   Il **la lui** lance.
Il nous invite au cinéma.   →   Il **nous y** invite.
Il lui offre de la bière.   →   Il **lui en** offre.
Louis ne donne pas ses clés à Paul.   →   Il ne **les lui** donne pas.

EXERCICE 5   *Répondez aux questions.*

1. M'écoutes-tu ?

   Oui, _____

2. Le connais-tu ?

   Oui, _____

3. La connaissez-vous ?

   Non, je _____

4. L'avez-vous rencontré ?

   Oui, nous _____

5. Lui avez-vous parlé ?

Non, je_____

6. Est-ce qu'il les avait reconnus ?

Non,_____

7. L'avait-elle prévenu ?

Non,_____

8. Est-ce qu'il me connaît ?

Oui, _____

EXERCICE 6   *Répondez par oui ou non aux questions en utilisant les pronoms compléments appropriés.*

1. Avez-vous lu les explications sur les pronoms compléments ?

_____

2. Avez-vous eu de la difficulté à comprendre ?

_____

3. Comprenez-vous les explications ?

_____

4. Voulez-vous plus d'exercices sur les pronoms compléments ?

_____

5. Avez-vous un bon dictionnaire français ?

_____

6. Si vous en avez un, quand l'avez-vous acheté ? **ou** Si vous n'en avez pas, quand allez-vous en acheter un ?

_____

7. Consultez-vous souvent le dictionnaire ?

_____

8. Avez-vous trouvé cet exercice difficile ?

_____

EXERCICE 7   *Répondez aux questions en utilisant les pronoms compléments appropriés.*

Exemple : Avez-vous envoyé la lettre à Mme Dupuis ?
           Oui, je la lui ai envoyée.
           Non, je ne la lui ai pas envoyée.

1. A-t-il prêté son livre à Pierre ?

   Oui, _____

   Non, _____

2. Est-ce qu'elle t'a donné les billets ?

   Oui, _____

   Non, _____

3. As-tu remis ton travail au professeur ?

   Oui, _____

   Non, _____

4. Avez-vous annoncé la nouvelle à Marc et à Antoine ?

   Oui, nous _____

   Non, nous _____

5. Ont-ils expédié la marchandise aux clients ?

   Oui, _____

   Non, _____

6. En as-tu parlé à Sophie ?

   Oui, _____

   Non, _____

7. En avez-vous envoyé à M. Lemieux ?

   Oui, nous _____

   Non, nous _____

8. M'as-tu remis les clés de la voiture ?

   Oui, _____

   Non, _____

EXERCICE 8   *Répondez aux questions en utilisant les pronoms compléments appropriés.*

1. Vont-ils aux États-Unis régulièrement ?

Oui, _____

2. Va-t-elle aller bientôt au Japon ?

Oui, _____

3. Vouliez-vous aller au Nouveau-Brunswick ?

Non, nous _____

4. Si on te l'avait offert, serais-tu allé en Tunisie ?

Non, _____

5. Est-ce qu'elle est allée au marché ?

Non, _____

6. Est-il allé chez le médecin ?

Non, _____

5
Les verbes

	Verbes qui se conjuguent avec *avoir* dans les temps composés	Verbes qui se conjuguent avec *être* dans les temps composés
MODE INDICATIF	Exemple : **parler**	Exemple : **partir**
présent	je parle ; tu parles...	je pars ; tu pars...
passé composé	j'ai parlé ; tu as parlé...	je suis parti ; tu es parti...
imparfait	je parlais ; tu parlais...	je partais ; tu partais...
plus-que-parfait	j'avais parlé ; tu avais parlé...	j'étais parti ; tu étais parti...
passé simple	je parlai ; tu parlas...	je partis ; tu partis...
futur simple	je parlerai ; tu parleras...	je partirai ; tu partiras...
futur antérieur	j'aurai parlé ; tu auras parlé...	je serai parti ; tu seras parti...
MODE CONDITIONNEL		
présent	je parlerais ; tu parlerais...	je partirais ; tu partirais...
passé	j'aurais parlé ; tu aurais parlé...	je serais parti ; tu serais parti...
MODE IMPÉRATIF		
présent	parle ; parlons ; parlez	pars ; partons ; partez
passé	aie parlé ; ayons parlé ; ayez parlé	sois parti ; soyons partis ; soyez partis
MODE SUBJONCTIF		
présent	que je parle ; que tu parles...	que je parte ; que tu partes...
passé	que j'aie parlé ; que tu aies parlé...	que je sois parti ; que tu sois parti...
PARTICIPE		
présent	parlant	partant
passé	parlé	parti
INFINITIF		
présent	parler	partir
passé	avoir parlé	être parti

LE PRÉSENT DE L'INDICATIF

LA FORMATION DU PRÉSENT DE L'INDICATIF

1. Pour les verbes du 1er groupe.

		Exemple : aim**er**
je...	radical + **e**	j'aim**e**
tu...	radical + **es**	tu aim**es**
il/elle/on...	radical + **e**	il/elle/on aim**e**
nous...	radical + **ons**	nous aim**ons**
vous...	radical + **ez**	vous aim**ez**
ils/elles...	radical + **ent**	ils/elles aim**ent**

2. Pour les verbes du 2e groupe.

		Exemple : fin**ir**
je...	radical + **is**	je fin**is**
tu...	radical + **is**	tu fin**is**
il/elle/on...	radical + **it**	il/elle/on fin**it**
nous...	radical + **issons**	nous fin**issons**
vous...	radical + **issez**	vous fin**issez**
ils/elles...	radical + **issent**	ils/elles fin**issent**

3. Pour les verbes du 3e groupe.
   - verbe **aller**
   - verbes en **-ir** qui n'ont pas **-issons** à la 1re personne du pluriel (nous)
   - verbes en **-oir**
   - verbes en **-re**

   Les deux types de terminaisons très utilisés sont :

a)

		Exemple : **courir**
je...	radical + **s**	je cour**s**
tu...	radical + **s**	tu cour**s**
il/elle/on...	radical + **t**	il/elle/on cour**t**
nous...	radical + **ons**	nous cour**ons**
vous...	radical + **ez**	vous cour**ez**
ils/elles...	radical + **ent**	ils/elles cour**ent**

b)

		Exemple : **ouvrir**
je...	radical + **e**	j'ouvr**e**
tu...	radical + **es**	tu ouvr**es**
il/elle/on...	radical + **e**	il/elle/on ouvr**e**
nous...	radical + **ons**	nous ouvr**ons**
vous...	radical + **ez**	vous ouvr**ez**
ils/elles...	radical + **ent**	ils/elles ouvr**ent**

AVOIR – ÊTRE – FAIRE – ALLER AU PRÉSENT

Avoir	**Être**	**Faire**	**Aller**
j'ai	je suis	je fais	je vais
tu as	tu es	tu fais	tu vas
il/elle/on a	il/elle/on est	il/elle/on fait	il/elle/on va
nous avons	nous sommes	nous faisons	nous allons
vous avez	vous êtes	vous faites	vous allez
ils/elles ont	ils/elles sont	ils/elles font	ils/elles vont

LE PASSÉ COMPOSÉ

LA FORMATION DU PASSÉ COMPOSÉ

Auxiliaire **avoir** ou **être** au **présent** + **participe passé** du verbe qui est à conjuguer.

Exemples : **parler**

j'ai parlé
tu as parlé
il/elle/on a parlé
nous avons parlé
vous avez parlé
ils/elles ont parlé

tomber

je suis tombé
tu es tombé
il/on est tombé
elle est tombée
nous sommes tombés
vous êtes tombés
ils sont tombés
elles sont tombées

> **NOTEZ :**
>
> Quand un verbe est conjugué avec l'auxiliaire **être**, il faut toujours accorder le participe passé avec le sujet.

AVOIR – ÊTRE – FAIRE – ALLER AU PASSÉ COMPOSÉ

Avoir	**Être**	**Faire**	**Aller**
j'ai eu	j'ai été	j'ai fait	je suis allé
tu as eu	tu as été	tu as fait	tu es allé
il/elle/on a eu	il/elle/on a été	il/elle/on a fait	il/on est allé
nous avons eu	nous avons été	nous avons fait	elle est allée
vous avez eu	vous avez été	vous avez fait	nous sommes allés
ils/elles ont eu	ils/elles ont été	ils/elles ont fait	vous êtes allés
			ils sont allés
			elles sont allées

L'IMPARFAIT

LA FORMATION DE L'IMPARFAIT

Exemple : **regarder**

je...	radical + **ais**	je regard**ais**
tu...	radical + **ais**	tu regard**ais**
il/elle/on...	radical + **ait**	il/elle/on regard**ait**
nous...	radical + **ions**	nous regard**ions**
vous...	radical + **iez**	vous regard**iez**
ils/elles...	radical + **aient**	ils/elles regard**aient**

AVOIR – ÊTRE – FAIRE – ALLER À L'IMPARFAIT

Avoir	**Être**	**Faire**	**Aller**
j'avais	j'étais	je faisais	j'allais
tu avais	tu étais	tu faisais	tu allais
il/elle/on avait	il/elle/on était	il/elle/on faisait	il/elle/on allait
nous avions	nous étions	nous faisions	nous allions
vous aviez	vous étiez	vous faisiez	vous alliez
ils/elles avaient	ils/elles étaient	ils/elles faisaient	ils/elles allaient

LE PLUS-QUE-PARFAIT

Le plus-que-parfait indique une **action passée** qui **a précédé une autre action passée**.

Exemple : Guy **était parti** au magasin quand Luc a téléphoné.

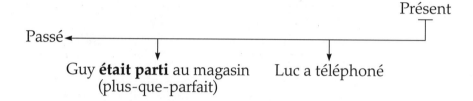

LA FORMATION DU PLUS-QUE-PARFAIT

Auxiliaire **avoir** ou **être** à l'**imparfait** + **participe passé** du verbe qui est à conjuguer.

Exemples :

dire	**venir**
j'avais dit	j'étais venu
tu avais dit	tu étais venu
il/elle/on avait dit	il/on était venu
nous avions dit	elle était venue
vous aviez dit	nous étions venus
ils/elles avaient dit	vous étiez venus
	ils étaient venus
	elles étaient venues

AVOIR – ÊTRE – FAIRE – ALLER AU PLUS-QUE-PARFAIT

Avoir	**Être**	**Faire**	**Aller**
j'avais eu	j'avais été	j'avais fait	j'étais allé
tu avais eu	tu avais été	tu avais fait	tu étais allé
il/elle/on avait eu	il/elle/on avait été	il/elle/on avait fait	il/on était allé
nous avions eu	nous avions été	nous avions fait	elle était allée
vous aviez eu	vous aviez été	vous aviez fait	nous étions allés
ils/elles avaient eu	ils/elles avaient été	ils/elles avaient fait	vous étiez allés
			ils étaient allés
			elles étaient allées

EXERCICE 1   *Conjuguez les verbes suivants au plus-que-parfait.*

1. étudier

j'avais étudié
tu avais étudié
il/elle/on avait étudié
nous avions étudié
vous aviez étudié
ils avaient étudié

2. arriver

j'avais arrivé
tu avais arrivé
il avait arrivé
nous avions arrivé
vous aviez arrivé
ils avaient arrivé

EXERCICE 2   *Mettez à la forme négative.*

Exemple : Il avait mangé. Il n'avait pas mangé.

1. Elle avait étudié.   Elle n'avait pas étudié

2. Tu avais dormi.   tu n'avais pas dormi

3. Ils étaient partis.   ils n'étaient pas partis

4. Nous avions discuté.   nous n'avions pas discuté

5. J'étais venu.   Je n'étais pas venu

6. Elles avaient travaillé.   Elle n'avaient pas travaillé.

EXERCICE 3   *Conjuguez les verbes qui sont entre parenthèses au plus-que-parfait.*

1. — Comment va Paul ?

   — Il va bien, mais il travaille beaucoup.

   — Paul travaille encore ?

   — Mais si !

   — J'(entendre) j'avais entendu dire qu'il (prendre) a pris
   _____ sa retraite.

2. – Avez-vous aimé votre voyage en France ?

   – C'était merveilleux ! Les enfants ont beaucoup aimé la France.

   – Oui, mais ce n'était pas la première fois qu'ils y allaient. Vous (aller) *aviez* déjà *allé* en France auparavant.

   – Mon mari et moi y (aller) *aurons* déjà *allé* , mais les enfants n'(venir) *avaient* jamais *allé* avec nous.

3. – As-tu reçu tes nouveaux meubles de salon ?

   – Oui, finalement !

   – Pourquoi dis-tu **finalement** ?

   – Parce que le vendeur m'(dire) *avait dit* que le délai de livraison était de dix jours et ça a pris six semaines avant de les recevoir ! Si j'(savoir) *savais* , je n'aurais pas acheté mes meubles à ce magasin.

4. – Comment va ton petit garçon ?

   – Il va très bien, mais il n'est pas très sage.

   – Qu'est-ce que tu veux dire ?

   – Il n'arrête pas ! Hier, il a versé un litre de jus d'orange complet dans notre humidificateur.

   – Moi, quand j'étais petite, j'(prendre) _____ une bouteille de ketchup et j'en (mettre) _____ partout dans ma chambre. Ma mère (devoir) _____ nettoyer ma chambre au complet.

   – Qu'est-ce que ton père (dire) _____ ?

   – Il n'était pas là. Il (partir) _____ en voyage d'affaires.

5. – Devine quoi !

   – Quoi ?

   – Je me suis inscrite à un cours du soir.

   – Bravo ! Je suis certaine que tu vas aimer ça. Moi aussi, il y a quelques années, je (s'inscrire) _____ à deux cours du soir, mais je n'(pouvoir) _____ pas _____ terminer le trimestre.

   – Pourquoi ?

   – Parce que j'(trouver) _____ un nouvel emploi et je devais travailler le soir. J'(être) _____ très déçue d'abandonner mes cours.

EXERCICE 4 *Conjuguez les verbes au plus-que-parfait.*

1. As-tu regardé le film à la télé, hier soir ?

Oui, mais je l'(voir) _____ déjà _____

2. Quand vous êtes allés à la fête, avez-vous vu Guy et Diane ?

Malheureusement non. Ils (partir) _____ déjà _____ quand nous sommes arrivés.

3. Était-elle déjà allée en Chine ?

Non, elle n'y (aller) _____ jamais _____

4. Avait-il trouvé un autre emploi avant de donner sa démission ?

Oui, il en (trouver) _____ un.

5. Aviez-vous caché les clés comme je vous l'avais demandé ?

Oui, je les (cacher) _____ sous le tapis, mais je pense que le chien les a prises !

6. Est-ce qu'ils avaient prévu qu'il y aurait autant de monde ?

Non, ils n'(prévoir) _____ pas _____ que l'exposition remporterait un tel succès.

LE PASSÉ SIMPLE

Le passé simple est utilisé pour décrire un fait passé à un moment précis. Ce temps sert surtout dans la narration. Dans la conversation, on utilise surtout le passé composé.

NOTEZ :

La 1re et la 2e personne du pluriel (**nous** et **vous**) ne sont plus utilisées au passé simple.

LA FORMATION DU PASSÉ SIMPLE

1. Pour les verbes du 1er groupe.

		Exemple : aim**er**
je...	radical + **ai**	j'aim**ai**
tu...	radical + **as**	tu aim**as**
il/elle/on...	radical + **a**	il/elle/on aim**a**
–		–
–		–
ils/elles...	radical + **èrent**	ils/elles aim**èrent**

2. Pour les verbes du 2e groupe.

		Exemple : fin**ir**
je...	radical + **is**	je fin**is**
tu...	radical + **is**	tu fin**is**
il/elle/on...	radical + **it**	il/elle/on fin**it**
–		–
–		–
ils/elles...	radical + **irent**	ils/elles fin**irent**

3. Pour les verbes du 3e groupe (deux types de conjugaison).

a)

		Exemple : **prendre**
je...	radical + **is**	je pr**is**
tu...	radical + **is**	tu pr**is**
il/elle/on...	radical + **it**	il/elle/on pr**it**
–		–
–		–
ils/elles...	radical + **irent**	ils/elles pr**irent**

b)

		Exemple : **courir**
je...	radical + **us**	je cour**us**
tu...	radical + **us**	tu cour**us**
il/elle/on...	radical + **ut**	il/elle/on cour**ut**
–		–
–		–
ils/elles...	radical + **urent**	ils/elles cour**urent**

AVOIR – ÊTRE – FAIRE – ALLER AU PASSÉ SIMPLE

Avoir	**Être**	**Faire**	**Aller**
j'eus	je fus	je fis	j'allai
tu eus	tu fus	tu fis	tu allas
il/elle/on eut	il/elle/on fut	il/elle/on fit	il/elle/on alla
–	–	–	–
–	–	–	–
ils/elles eurent	ils/elles furent	ils/elles firent	ils/elles allèrent

QUAND UTILISER LE PASSÉ SIMPLE

Le passé simple est encore souvent utilisé dans les reportages journalistiques, pour raconter des faits historiques, etc.

Exemples : Le juge **condamna** le voleur à deux ans de prison.

Elles **organisèrent** une marche pour la paix.

Sir Wilfrid Laurier **naquit** à Saint-Lin au Québec en 1841. Il **fut** Premier ministre de 1896 à 1911. Il **mourut** en 1919.

EXERCICE 5   *Dans cet article de journal, conjuguez au passé simple les verbes entre parenthèses.*

Un vol de banque plein de rebondissements !

Mardi dernier, la banque Forteresse (être) _____ le théâtre d'un vol spectaculaire. Vers onze heures, trois personnes déguisées en kangourous (entrer) _____ dans la banque. Un des kangourous (dire) _____ à un préposé au comptoir : « Vite, donnez-moi l'argent ! » Le préposé (donner) _____ l'argent au kangourou et (aller) _____ rejoindre les autres employés. Les trois kangourous (remplir) _____ leurs poches et (s'enfuir) _____ . Quand ils (sortir) _____ de la banque, ils (avoir) _____ une mauvaise surprise ! Plusieurs policiers avaient encerclé la banque et ils attendaient les voleurs. Un des policiers (menotter) _____ les trois kangourous et leur (dire) _____ : « Allez, montez à bord ! Et que ça saute ! »

EXERCICE 6   *Trouvez des réponses originales aux questions suivantes.*

1. Comment devint-il millionnaire ?

   _____

   _____

2. Est-ce vrai que c'est un oiseau qui lui sauva la vie ?

   _____

   _____

3. Quelle fut leur réaction quand ils virent un crocodile dans leur salon ?

   _____

   _____

4. Que fit-il quand il réalisa que son pantalon était déchiré ?

   _____

   _____

LE FUTUR SIMPLE

LA FORMATION DU FUTUR SIMPLE POUR LES VERBES RÉGULIERS

Exemple : **téléphoner**

je...	infinitif + **ai**	je téléphoner**ai**
tu...	infinitif + **as**	tu téléphoner**as**
il/elle/on...	infinitif + **a**	il/elle/on téléphoner**a**
nous...	infinitif + **ons**	nous téléphoner**ons**
vous...	infinitif + **ez**	vous téléphoner**ez**
ils/elles...	infinitif + **ont**	ils/elles téléphoner**ont**

AVOIR – ÊTRE – FAIRE – ALLER AU FUTUR SIMPLE

Avoir	**Être**	**Faire**	**Aller**
j'aurai	je serai	je ferai	j'irai
tu auras	tu seras	tu feras	tu iras
il/elle/on aura	il/elle/on sera	il/elle/on fera	il/elle/on ira
nous aurons	nous serons	nous ferons	nous irons
vous aurez	vous serez	vous ferez	vous irez
ils/elles auront	ils/elles seront	ils/elles feront	ils/elles iront

LE FUTUR ANTÉRIEUR

Le futur antérieur indique une **action future** qui a **précédé une autre action future**.

Exemple :   Je mangerai quand j'**aurai fini** mon travail.

Présent

j'**aurai fini** mon travail   je mangerai
(futur antérieur)

Futur

LA FORMATION DU FUTUR ANTÉRIEUR

Auxiliaire **avoir** ou **être** au **futur simple** + **participe passé** du verbe à conjuguer.

Exemples :   **terminer**

j'aurai terminé
tu auras terminé
il/elle/on aura terminé
nous aurons terminé
vous aurez terminé
ils/elles auront terminé

revenir

je serai revenu
tu seras revenu
il/on sera revenu
elle sera revenue
nous serons revenus
vous serez revenus
ils seront revenus
elles seront revenues

AVOIR – ÊTRE – FAIRE – ALLER AU FUTUR ANTÉRIEUR

Avoir

j'aurai eu
tu auras eu
il/elle/on aura eu
nous aurons eu
vous aurez eu
ils/elles auront eu

Être

j'aurai été
tu auras été
il/elle/on aura été
nous aurons été
vous aurez été
ils/elles auront été

Faire

j'aurai fait
tu auras fait
il/elle/on aura fait
nous aurons fait
vous aurez fait
ils/elles auront fait

Aller

je serai allé
tu seras allé
il/on sera allé
elle sera allée
nous serons allés
vous serez allés
ils seront allés
elles seront allées

EXERCICE 7   *Conjuguez les verbes au futur antérieur.*

1. acheter

_____

_____

_____

_____

_____

_____

2. finir

_____

_____

_____

_____

_____

_____

3. partir

_____

_____

_____

_____

_____

_____

4. revenir

_____

_____

_____

_____

_____

_____

EXERCICE 8   *À l'aide des réponses entre parenthèses, complétez les phrases en conjuguant les verbes au futur antérieur.*

1. Quand nous paieront-ils?

   (avoir l'autorisation de la direction) Ils nous paieront quand ils_____

   _____

2. Quand déménageront-ils?

   (trouver un nouveau local) Ils déménageront quand ils_____

   _____

3. Quand étudieras-tu?

   (rentrer à la maison) J'étudierai quand je_____

   _____

4. Quand va-t-elle me rappeler?

   (revenir à son bureau) Elle va vous rappeler quand elle _____

   _____

LE CONDITIONNEL PRÉSENT

LA FORMATION DU CONDITIONNEL PRÉSENT POUR LES VERBES RÉGULIERS

Exemple : **écouter**

je...	infinitif + **ais**	j'écouter**ais**
tu...	infinitif + **ais**	tu écouter**ais**
il/elle/on...	infinitif + **ait**	il/elle/on écouter**ait**
nous...	infinitif + **ions**	nous écouter**ions**
vous...	infinitif + **iez**	vous écouter**iez**
ils/elles...	infinitif + **aient**	ils/elles écouter**aient**

AVOIR – ÊTRE – FAIRE – ALLER AU CONDITIONNEL PRÉSENT

Avoir	**Être**	**Faire**	**Aller**
j'aurais	je serais	je ferais	j'irais
tu aurais	tu serais	tu ferais	tu irais
il/elle/on aurait	il/elle/on serait	il/elle/on ferait	il/elle/on irait
nous aurions	nous serions	nous ferions	nous irions
vous auriez	vous seriez	vous feriez	vous iriez
ils/elles auraient	ils/elles seraient	ils/elles feraient	ils/elles iraient

LE CONDITIONNEL PASSÉ

Le conditionnel passé exprime une **hypothèse** ou une **supposition relative au passé**.

Exemple : J'**aurais aimé** aller au cinéma hier soir, mais je n'ai pas pu y aller.

LA FORMATION DU CONDITIONNEL PASSÉ

Auxiliaire **avoir** ou **être** au **conditionnel présent** + **participe passé** du verbe à conjuguer.

Exemples : **dire**

j'aurais dit
tu aurais dit
il/elle/on aurait dit
nous aurions dit
vous auriez dit
ils/elles auraient dit

arriver

je serais arrivé
tu serais arrivé
il/on serait arrivé
elle serait arrivée
nous serions arrivés
vous seriez arrivés
ils seraient arrivés
elles seraient arrivées

AVOIR – ÊTRE – FAIRE – ALLER AU CONDITIONNEL PASSÉ

Avoir

j'aurais eu
tu aurais eu
il/elle/on aurait eu
nous aurions eu
vous auriez eu
ils/elles auraient eu

Être

j'aurais été
tu aurais été
il/elle/on aurait été
nous aurions été
vous auriez été
ils/elles auraient été

Faire

j'aurais fait
tu aurais fait
il/elle/on aurait fait
nous aurions fait
vous auriez fait
ils/elles auraient fait

Aller

je serais allé
tu serais allé
il/on serait allé
elle serait allée
nous serions allés
vous seriez allés
ils seraient allés
elles seraient allées

EXERCICE 9   *Conjuguez les verbes au conditionnel passé.*

1. étudier

_____

_____

_____

_____

_____

_____

2. sortir

_____

_____

_____

_____

_____

_____

_____

EXERCICE 10   *Conjuguez les verbes au conditionnel passé.*

1. Pourquoi est-ce que tu n'es pas venu au restaurant avec nous ?

   J'(aimer) _____ y aller, mais je ne pouvais pas.

2. As-tu aimé tes vacances à la plage ?

   Oui, mais j'(vouloir) _____ rester là-bas encore plus
   longtemps.

3. Pourquoi est-ce qu'il ne nous l'a pas dit avant ?

   Il l'(dire) _____ avant, mais il n'avait pas assez de
   preuves.

4. Pourquoi est-ce que M. Lalande n'est pas venu aujourd'hui ?

   Il (venir) _____ , mais Antoine a annulé le rendez-vous
   parce qu'il avait trop de choses à faire.

5. Est-elle allée au mariage de Catherine et Mathieu ?

   Elle y (aller) _____ , mais elle n'a pas été invitée.

6. As-tu fini ton travail ?

   J'(vouloir) _____ le finir aujourd'hui, mais je n'ai pas
   pu parce qu'il me manquait certaines informations.

EXERCICE 11 *Placez à la forme interrogative les phrases suivantes.*

Exemple : Tu aurais parlé. Aurais-tu parlé ?

1. Vous auriez étudié. _____

2. Il serait allé. _____

3. Nous aurions voulu. _____

4. Vous seriez revenus. _____

5. Ils seraient partis. _____

6. Elle aurait travaillé. _____

EXERCICE 12 *À l'aide des réponses, formulez des questions en utilisant le conditionnel passé.*

1. _____
   Oui, il aurait voulu être médecin.

2. _____
   Oui, ils auraient acheté la maison si elle avait été moins chère.

3. _____
   Non, il n'aurait pas accepté cette offre.

4. _____
   Non, tu n'aurais pas dû lui dire.

5. _____
   Oui, ils auraient voulu plus d'explications.

6. _____
   Oui, elle serait restée plus longtemps si elle avait su que tu viendrais.

7. _____
   Non, elle n'aurait pas signé ce contrat.

8. _____
   Non, je n'aurais pas dit ça.

L'IMPÉRATIF PRÉSENT

LA FORMATION DE L'IMPÉRATIF PRÉSENT

Pour les verbes réguliers, on conjugue le verbe comme au présent de l'indicatif. L'impératif présent ne se conjugue qu'à trois personnes :

Exemple : **finir**

2e personne du singulier	(tu)	finis
1re personne du pluriel	(nous)	finissons
2e personne du pluriel	(vous)	finissez

Il n'y a pas de pronom sujet devant un verbe conjugué à l'impératif.

NOTEZ :

Si le verbe est du 1er groupe (terminaison **-er**), on ne met pas de **-s** final à la 2e personne du singulier.

Exemple :   regard**er**

regard**e**
regard**ons**
regard**ez**

AVOIR – ÊTRE – FAIRE – ALLER À L'IMPÉRATIF PRÉSENT

Avoir	Être	Faire	Aller
aie	sois	fais	va
ayons	soyons	faisons	allons
ayez	soyez	faites	allez

LA PLACE DU PRONOM AVEC UN IMPÉRATIF

Avec un verbe à l'impératif **sans négation**, le pronom est placé **après** le verbe.

Avec un verbe à l'impératif **négatif**, le pronom est placé **avant** le verbe.

OBSERVEZ:

Parle-moi.	**mais**	Ne me parle pas.
Lève-toi.	**mais**	Ne te lève pas.
Apporte-le.	**mais**	Ne l'apporte pas.
Dites-lui.	**mais**	Ne lui dites pas.
Regardez-les.	**mais**	Ne les regardez pas.

EXERCICE 13 *Placez les phrases suivantes à la forme négative.*

1. Appelle-moi au bureau.

2. Envoyez-lui les documents par la poste.

3. Signez-le maintenant.

4. Vendez-la cette année.

5. Dites-leur la vérité.

6. Apprenez-les par cœur.

7. Téléphonez-moi tous les jours.

8. Abonne-toi à ce journal.

L'IMPÉRATIF PASSÉ

L'impératif passé indique que l'ordre qui est donné devra être accompli à un certain moment dans le futur. L'impératif passé n'est pas un temps de verbe très utilisé, mais il peut être pratique dans certains cas.

Exemples :   **Ayez terminé** votre travail avant cinq heures.
Sois rentré à la maison avant minuit.

LA FORMATION DE L'IMPÉRATIF PASSÉ

Auxiliaire **avoir** ou **être** à l'**impératif présent** + **participe passé** du verbe à conjuguer.

Exemples :   **téléphoner**   **arriver**

aie téléphoné   sois arrivé
ayons téléphoné   soyons arrivés
ayez téléphoné   soyez arrivés

AVOIR – ÊTRE – FAIRE – ALLER À L'IMPÉRATIF PASSÉ

Avoir	Être	Faire	Aller
aie eu	aie été	aie fait	sois allé
ayons eu	ayons été	ayons fait	soyons allés
ayez eu	ayez été	ayez fait	soyez allés

EXERCICE 14 *Conjuguez les verbes suivants à l'impératif passé.*

1. nettoyer

_____

_____

_____

2. finir

_____

_____

_____

3. partir

_____

_____

_____

4. revenir

_____

_____

_____

EXERCICE 15 *Conjuguez les verbes à l'impératif passé.*

1. La mère dit à son garçon :
   - Tu peux aller chez ton ami, mais (revenir) _____ avant six heures.

2. Les parents disent à leurs enfants :
   - Le règlement est clair : (demander) _____ la permission à votre père ou à votre mère avant d'inviter des amis à la maison.

3. Le père dit à son garçon :
   - (ranger) _____ ta chambre avant que les invités arrivent.

4. Les parents disent à leurs enfants :
   - (faire) _____ tous vos devoirs avant le souper. Ce soir, nous sortons.

LE SUBJONCTIF PRÉSENT

Au subjonctif présent, l'action n'est pas située sur le plan de la réalité. Elle est située dans la pensée.

OBSERVEZ :

Mon garçon **a** de très bons résultats scolaires.

       avoir au présent de l'indicatif

L'action d'avoir de très bons résultats est située sur le plan de la réalité.

Je **souhaite que** mon garçon **ait** de très bons résultats scolaires.

       avoir au subjonctif présent

L'action d'avoir de très bons résultats est uniquement située dans la pensée.

LA FORMATION DU SUBJONCTIF PRÉSENT

- Prendre le radical du verbe conjugué à la 3e personne du pluriel au présent de l'indicatif.

- Conjuguer le verbe en utilisant les terminaisons suivantes :

je...	-e	nous...	-ions
tu...	-es	vous...	-iez
il/elle/on...	-e	ils/elles...	-ent

- Placer **que** devant le verbe conjugué.

Exemple : **dire**

que je dise	que nous disions
que tu dises	que vous disiez
qu'il/elle/on dise	qu'ils/elles disent

HUIT VERBES QUI ONT UNE CONJUGAISON PARTICULIÈRE AU SUBJONCTIF PRÉSENT

Avoir	Être	Faire	Aller
que j'aie	que je sois	que je fasse	que j'aille
que tu aies	que tu sois	que tu fasses	que tu ailles
qu'il/elle/on ait	qu'il/elle/on soit	qu'il/elle/on fasse	qu'il/elle/on aille
que nous ayons	que nous soyons	que nous fassions	que nous allions
que vous ayez	que vous soyez	que vous fassiez	que vous alliez
qu'ils/elles aient	qu'ils/elles soient	qu'ils/elles fassent	qu'ils/elles aillent

Savoir	**Pouvoir**	**Valoir**	**Vouloir**
que je sache	que je puisse	que je vaille	que je veuille
que tu saches	que tu puisses	que tu vailles	que tu veuilles
qu'il/elle/on sache	qu'il/elle/on puisse	qu'il/elle/on vaille	qu'il/elle/on veuille
que nous sachions	que nous puissions	que nous valions	que nous voulions
que vous sachiez	que vous puissiez	que vous valiez	que vous vouliez
qu'ils/elles sachent	qu'ils/elles puissent	qu'ils/elles vaillent	qu'ils/elles veuillent

LES EXPRESSIONS QUI INTRODUISENT LE SUBJONCTIF

Il existe plusieurs expressions qui introduisent le subjonctif. En voici quelques-unes :

- il est préférable que...
- il est possible que...

- bien que...
- afin que...
- pour que...
- à moins que...
- à condition que...
- avant que...

- falloir que...   (Exemples : Il faut que... ; Il fallait que... ; Il faudrait que...)

- souhaiter que...   (Exemples : Je souhaite que... ; Nous souhaitions que... ; Ils souhaiteraient que...)

- aimer que...   (Exemples : Ils aimaient que... ; J'aimerais que... ; Elle aurait aimé que...)

- vouloir que...   (Exemples : Tu veux que... ; Il voulait que... ; Je voudrais que...)

- désirer que...   (Exemples : Je désire que... ; Vous désiriez que... ; Il désirerait que...)

- regretter que...   (Exemples : Nous regrettons que... ; Ils ont regretté que... ; Il regretterait que...)

- être content que... (Exemples : Je suis content que... ; Il était content que... ; Vous seriez contents que...)

- exiger que...   (Exemples : Tu exiges que... ; J'avais exigé que... ; Ils exigeraient que...)

LE SUBJONCTIF PASSÉ

Le subjonctif passé marque une **antériorité** par rapport au présent.

LA FORMATION DU SUBJONCTIF PASSÉ

> **OBSERVEZ :**
>
> Je suis content que tu **aies obtenu** ton diplôme.
>
> Ils exigent que nous **ayons livré** la marchandise avant cinq heures.
>
> Il est possible qu'elle **soit venue** pendant que nous étions au marché.

Auxiliaire **avoir** ou **être** au **subjonctif présent** + **participe passé** du verbe à conjuguer.

Exemples : **terminer**

que j'aie terminé
que tu aies terminé
qu'il/elle/on ait terminé
que nous ayons terminé
que vous ayez terminé
qu'ils/elles aient terminé

revenir

que je sois revenu
que tu sois revenu
qu'il/on soit revenu
qu'elle soit revenue
que nous soyons revenus
que vous soyez revenus
qu'ils soient revenus
qu'elles soient revenues

AVOIR – ÊTRE – FAIRE – ALLER AU SUBJONCTIF PASSÉ

Avoir	Être	Faire	Aller
que j'aie eu	que j'aie été	que j'aie fait	que je sois allé
que tu aies eu	que tu aies été	que tu aies fait	que tu sois allé
qu'il/elle/on ait eu	qu'il/elle/on ait été	qu'il/elle/on ait fait	qu'il/on soit allé
que nous ayons eu	que nous ayons été	que nous ayons fait	qu'elle soit allée
que vous ayez eu	que vous ayez été	que vous ayez fait	que nous soyons allés
qu'ils/elles aient eu	qu'ils/elles aient été	qu'ils/elles aient fait	que vous soyez allés
			qu'ils soient allés
			qu'elles soient allées

EXERCICE 16 *Conjuguez les verbes au subjonctif passé.*

1. La mère dit à son fils :
   - Je veux que tu (revenir) _____ à la maison avant dix heures.

2. Le professeur dit à ses étudiants :
   - Je veux que vous (terminer) _____ cet exercice avant de faire le suivant.

3. Le représentant dit à son client :
   - Je suis content que vous (accepter) _____ notre proposition.

4. Le député dit à ses électeurs :
   - Je suis content que vous m'(élire)_____

5. Louis dit à Maryse :
   - Je regrette que tu n'(pouvoir) _____ pas _____ venir à la réception.

6. La secrétaire dit à un employé :
   - Le patron désire que vous (terminer) _____ ce travail avant trois heures.

EXERCICE 17 *Conjuguez les verbes entre parenthèses au subjonctif passé et complétez les phrases.*

1. Le père dit à sa fille de quinze ans :
   – Tu peux aller au cinéma à condition que tu (rentrer) _____

   _____

2. Linda dit à son amie :
   – Je ne trouve plus mon sac à main. Il est possible que je l'(oublier) _____

   _____

3. La mère dit à son amie :
   – Mon fils a obtenu de bons résultats scolaires bien qu'il (jouer) _____

   _____

4. Vincent dit à son confrère :
   – M. Pilon n'est pas encore arrivé au bureau. Il est possible qu'il (oublier) _____

   _____

5. La conjointe dit à son conjoint :
   – Il faudrait que je travaille sur ce projet toute la nuit pour que j'(finir) _____

   _____

6. Guy dit à sa directrice :
   – Le client exige que nous (terminer) _____

   _____

LE GÉRONDIF

Dans une phrase, le gérondif permet de préciser les circonstances dans lesquelles se déroule une autre action.

Exemple : Il marche **en chantant**.

LA FORMATION DU GÉRONDIF

* Prendre le **radical** du verbe conjugué à la 3ᵉ personne du pluriel au présent de l'indicatif.

   Exemples :
   * jouer : (ils) jou(ent)
   * finir : (ils) finiss(ent)
   * lire : (ils) lis(ent)

* Ajouter la terminaison **-ant** pour former d'abord le **participe présent**.

   Exemples :
   * jou : jouant
   * finiss : finissant
   * lis : lisant

* Placer **en** devant le participe présent.

   Exemples :
   * jouant : **en jouant**
   * finissant : **en finissant**
   * lisant : **en lisant**

AVOIR – ÊTRE – FAIRE – ALLER AU GÉRONDIF

Avoir	Être	Faire	Aller
en ayant	en étant	en faisant	en allant

QUAND UTILISER LE GÉRONDIF

Le gérondif peut être utilisé dans les contextes suivants :

1. Pour indiquer que deux actions sont simultanées.

   Exemples : Elle m'a dit bonjour **en souriant**.
   Il est sorti **en claquant** la porte.

2. Dans le sens de **quand**.

   Exemples : Elle a eu un accident **en se rendant** au travail.
   Elle a renversé son verre **en desservant** la table.

3.Dans le sens **de pendant**.
    Exemples : Il écoute de la musique **en faisant** ses exercices
                  Elle se détent **en attendant** son amie

4. Pour indiquer le moyen ou la manière de faire l'action.
    Exemples : On peut rester en bonne santé **en mangeant** bien.
               On peut éviter les accidents **en conduisant** prudemment.

EXERCICE 18 *Utilisez le gérondif.*

1. Il a appris la nouvelle (écouter la radio)_____

2. Il s'est endormi (lire un livre)_____

3. Il a trouvé de nouveaux clients (téléphoner dans plusieurs entreprises)_____
_____

4. Elle a fait beaucoup d'argent (investir dans l'immobilier) _____
_____

5. Ils ont vendu leur bateau (placer une annonce dans le journal) _____
_____

6. Il s'est fait mal au dos (transporter une grosse boîte) _____
_____

7. Elle a appris beaucoup de choses (suivre des cours de perfectionnement) _____
_____

8. Il est devenu plus calme (vieillir)_____

EXERCICE 19 *Répondez aux questions en vous inspirant des mots qui sont entre parenthèses.*

Exemple : Comment a-t-il fait pour trouver mon numéro de téléphone ?
(regarder dans l'annuaire) Il l'a trouvé en regardant dans l'annuaire.

1. Comment as-tu appris le français ?

   (suivre des cours) _____

2. Comment t'es-tu blessé ?

   (jouer au tennis) _____

3. Comment as-tu fait pour endormir le bébé ?

   (chanter des chansons)_____

4. Comment a-t-il pris la nouvelle ?

   (rire) _____

5. Comment a-t-elle brisé cette lampe ?

   (déplacer la table)_____

L'INFINITIF PRÉSENT

L'infinitif est le **nom** de l'action ou de l'état qui est exprimé par le verbe.

Les verbes à la forme infinitive présentent **quatre terminaisons** : **-er**, **-ir**, **-oir** et **-re**.

	-er	**-ir**	**-oir**	**-re**
Exemples :	aim**er**	fin**ir**	v**oir**	vend**re**
	appel**er**	cour**ir**	pouv**oir**	rend**re**
	jet**er**	souffr**ir**	dev**oir**	prend**re**

EXERCICE 20 *Nommez dix autres verbes pour chaque type de terminaison.*

1. -er

_____

_____

2. -ir

_____

_____

3. -oir

_____

_____

4. -re

_____

_____

L'INFINITIF PRÉSENT ET LA FORME NÉGATIVE

Les deux mots utilisés pour la négation sont placés **avant** le verbe.

Exemples :	**Ne pas** regarder.
	Ne plus parler.
	Ne jamais rire.

L'INFINITIF PASSÉ

L'infinitif passé marque l'**antériorité de l'action**.

LA FORMATION DE L'INFINITIF PASSÉ

Auxiliaire **avoir** ou **être** à l'**infinitif présent** + **participe passé** du verbe à conjuguer.

Exemples :   **dire**   **partir**

avoir dit   être parti

AVOIR – ÊTRE – FAIRE – ALLER À L'INFINITIF PASSÉ

Avoir   **Être**   **Faire**   **Aller**

avoir eu   avoir été   avoir fait   être allé

L'INFINITIF PASSÉ ET LA FORME NÉGATIVE

Les deux mots utilisés pour la négation sont placés **avant** l'auxiliaire **avoir** ou **être**.

Exemples :   **Ne pas** avoir travaillé.
Ne plus être allé.
Ne jamais avoir fumé.

EXERCICE 21   *Conjuguez les verbes à l'infinitif passé.*

Sylvie nous dit les règles qu'elle et ses frères et sœurs devaient respecter à la maison...

1. Quand j'étais petite, nous devions (laver) _____ nos mains avant de nous mettre à table.

2. Nous devions (enlever) _____ nos souliers avant d'entrer dans la maison.

3. Nous devions (réciter) _____ nos prières à genoux avant de nous mettre au lit.

4. Nous devions (rentrer) _____ à la maison avant la noirceur.

5. Nous devions (manger) _____ toute notre assiettée avant de sortir de table.

EXERCICE 22   *Complétez les phrases en mettant les verbes à l'infinitif présent ou à l'infinitif passé.*

Exemple : Il faut **avoir ouvert** la porte du garage avant de **sortir** l'automobile.

1. Il faut (mettre) _____ ses bas avant de (mettre) _____ _____ ses souliers.

2. Il faut (laver) _____ la vaisselle avant de l'(essuyer) _____

3. Il faut (entrer) _____ dans la maison avant d'(enlever) _____ son manteau.

4. Il faut (lire) _____ un contrat avant de le (signer) _____

5. Il faut (brancher) _____ le photocopieur avant de l'(utiliser) _____

6
Les adverbes

L'adverbe est un mot invariable qui modifie un verbe, un adjectif ou un autre adverbe. Il précise l'idée exprimée par ces mots.

LA PLACE DE L'ADVERBE

1. Quand l'adverbe modifie un **verbe** :

   - Quand le verbe est conjugué à un **temps simple**, en général, on place l'adverbe **après** le verbe.

     Exemples :   Il travaille **beaucoup**.
                     Elle voyage **souvent**.

   - Quand le verbe est à un **temps composé**, on peut placer l'adverbe **entre** l'auxiliaire et le participe passé ou **après** le participe passé.

     Exemples :   Il a **beaucoup** travaillé.   **ou**   Il a travaillé **beaucoup**.
                     Elle a **souvent** voyagé.   **ou**   Elle a voyagé **souvent**.

2. Quand l'adverbe modifie un **adjectif** ou un **autre adverbe**, en général, on place l'adverbe **avant** l'adjectif ou l'adverbe.

   Exemples :   Elle est **très** aimable.

                   Ils sont **vraiment** sympathiques.

                   Ils sont **vraiment** très sympathiques.

LES ADVERBES DE MANIÈRE

LES ADVERBES DE MANIÈRE QUI SE TERMINENT EN -MENT

1. Les adverbes qui se terminent en **-ment**.

   a) On peut former des adverbes en ajoutant le suffixe **-ment** au féminin de l'adjectif.

	Adjectif masculin		Adjectif féminin		Adverbe
Exemples :	attentif	→	attentive	→	attentivement
	doux	→	douce	→	doucement
	généreux	→	généreuse	→	généreusement
	simple	→	simple	→	simplement

   b) Les adverbes correspondant à des adjectifs qui se terminent au masculin singulier par les voyelles **-ai**, **-é**, **-i** et **-u** sont formés à partir de l'adjectif masculin.

	Adjectif masculin		Adverbe
Exemples :	vrai	→	vraiment
	momentané	→	momentanément
	poli	→	poliment
	absolu	→	absolument

2. Les adverbes qui se terminent en **-ément**.

Exemples :	aveuglément	immensément
	conformément	intensément
	communément	précisément
	énormément	profondément
	expressément	uniformément

3. Les adverbes qui se terminent en **-amment** et en **-emment**.

   Aux adjectifs qui se terminent par **-ant** et **-ent** correspondent des adverbes qui se terminent par **-amment** et **-emment**.

	Adjectif masculin		Adverbe
Exemples :	savant	→	savamment
	intelligent	→	intelligemment
Exceptions :	lent	→	lentement
	présent	→	présentement

EXERCICE 1   *Trouvez dans chaque cas l'adverbe qui correspond à l'adjectif.*

1. idéal : _____

2. extrême : _____

3. infini : _____

4. respectueux : _____

5. évident : _____

6. final : _____

7. probable : _____

8. lisible : _____

D'AUTRES ADVERBES DE MANIÈRE

- bien
- mal
- mieux
- debout
- plutôt
- ensemble
- vite
- volontiers

EXERCICE 2   *Dans la liste des adverbes de manière qui ne se terminent pas par -ment, trouvez l'adverbe qui convient le mieux dans chacune des phrases.*

1. Depuis qu'il fait ses exercices régulièrement, il se sent beaucoup

_____

2. – Veux-tu venir avec moi au cinéma ?

   – J'accepte _____

3. Ralentis ! Tu roules trop _____

4. – Venez-vous jouer au tennis ?

   – Je crois que nous devrions _____ aller nous baigner. Nous aurions moins chaud.

5. Elle serait _____ contente si vous veniez la voir plus souvent.

6. Ils vivent _____ depuis quatre ans.

7. Son travail est _____ fait. Il devra le refaire.

8. Il est resté _____ toute la nuit pour refaire son travail.

LES ADVERBES DE QUANTITÉ

Voici quelques adverbes de quantité souvent utilisés :

- assez
- aussi
- autant
- beaucoup
- davantage
- environ
- moins
- peu
- plus
- presque
- tellement
- très
- trop

EXERCICE 3   *À l'aide de la première phrase, trouvez, dans la seconde phrase, l'adverbe de quantité qui convient le mieux.*

1. Il faudrait qu'elle soit plus calme.

   Elle n'est pas _____ calme.

2. Il parle trop.

   Il faudrait qu'il parle _____

3. J'ai beaucoup de travail et c'est pourquoi je ne peux pas sortir.

   J'ai _____ de travail que je ne peux pas sortir.

4. Il ne lui reste qu'une page à écrire.

   Il a _____ fini son travail.

5. Il y avait une quinzaine de personnes.

   Il y avait _____ quinze personnes.

6. Ils devraient étudier encore plus s'ils veulent réussir leur examen.

   Ils devraient étudier _____ s'ils veulent réussir leur examen.

7. Les deux verres contiennent la même quantité de jus.

   Les deux verres contiennent _____ de jus.

8. Elle a une grande quantité de choses à faire.

   Elle a _____ de choses à faire.

9. La question 5 est difficile et la question 6 est difficile.

   Les deux questions sont _____ difficiles.

10. Le prix de cette automobile dépasse la limite de leur budget.

    Cette automobile coûte _____ cher.

11. C'est moins bruyant ici.

    C'est _____ tranquille ici.

12. Sa motivation est grande.

    Il est _____ motivé.

13. Il ne reste qu'une question avant d'avoir terminé cet exercice.

    J'ai _____ terminé cet exercice.

14. Ils ne lisent pas beaucoup.

    Ils lisent _____

LES ADVERBES DE TEMPS

Voici une liste d'adverbes de temps souvent utilisés :

- alors
- après
- après-demain
- aujourd'hui
- auparavant
- aussitôt
- autrefois
- avant

- avant-hier
- bientôt
- déjà
- demain
- depuis
- désormais
- dorénavant
- encore

- enfin
- ensuite
- entre-temps
- hier
- jamais
- longtemps
- maintenant
- parfois

- puis
- quelquefois
- soudain
- souvent
- tard
- tôt
- toujours
- tantôt

EXERCICE 4   *Remplacez les points de suspension par l'adverbe de temps approprié.*

1. Je terminerai ce travail...
   a) hier
   b) demain
   c) jamais

2. Il arrive... en retard.
   a) souvent
   b) depuis
   c) bientôt

3. ... les gens ne pouvaient pas voyager aussi facilement que maintenant.
   a) Dorénavant
   b) Autrefois
   c) Tantôt

4. Dans la vie, il faut... faire des concessions.
   a) déjà
   b) ensuite
   c) parfois

5. Elle n'est pas... arrivée.
   a) encore
   b) jamais
   c) enfin

| | | LES ADVERBES DE LIEU | | |

Voici quelques adverbes de lieu souvent utilisés :

- ailleurs
- dehors

- ici
- là

- loin
- où

- partout
- près

EXERCICE 5 *À l'aide de la liste des adverbes de lieu ci-dessus, complétez les phrases.*

1. – J'ai cherché le chien _____ dans la maison et je ne

l'ai pas trouvé. _____ peut-il bien être ?

– Il est _____ .

– Qu'est-ce qu'il fait _____ ?

2. – Il y a trop de bruit _____ . Je vais plutôt aller lire

_____ .

3. – Je ne me souviens plus _____ j'ai mis mes lunettes.

Elles ne peuvent pas être très _____ , je les ai vues il

y a quelques minutes.

– Si tu ne laissais pas traîner tes choses _____ , tu ne

les perdrais pas !

L'ADVERBE DE NÉGATION NE

Les huit formes de négation avec **ne** sont :

- ne... pas...
- ne... plus...
- ne... jamais...
- ne... rien...
- rien ne...
- ne... personne...
- personne... ne...
- ne... que...

NE... PAS... NE... PLUS... NE... JAMAIS...

OBSERVEZ :

As-tu une automobile ?
Non, je **n'**ai **pas** d'automobile.

As-tu encore ton automobile rouge ?
Non, je **ne** l'ai **plus**.

As-tu déjà eu une automobile ?
Non, je **n'**ai **jamais** eu d'automobile.

Est-ce qu'il fait du ski ?
Non, il **ne** fait **pas** de ski.

Est-ce qu'il fait encore du ski ?
Non, il **ne** fait **plus** de ski.

Est-ce qu'il a déjà fait du ski ?
Non, il **n'**a **jamais** fait de ski.

NE... RIEN...

OBSERVEZ :

Veux-tu quelque chose à boire ?
Non merci, je **ne** veux **rien**.

As-tu entendu quelque chose ?
Non, je **n'**ai **rien** entendu.

RIEN NE...

OBSERVEZ :

Les extrêmes : Tout l'intéresse.   → **Rien ne** l'intéresse.

Tout fonctionne très bien.   → **Rien ne** fonctionne bien.

Tout est prêt.   → **Rien n'**est prêt.

NE... PERSONNE...

OBSERVEZ :

Est-ce qu'il y a quelqu'un dans son bureau ?
Non, il **n'**y a **personne**.

As-tu invité quelqu'un ?
Non, je **n'**ai invité **personne**.

PERSONNE... NE...

OBSERVEZ :

Est-ce que quelqu'un est venu porter une enveloppe pendant mon absence ?
Non, **personne n'**est venu porter d'enveloppe.

Est-ce que quelqu'un t'a aidé ?
Non, **personne ne** m'a aidé.

NE... QUE...

OBSERVEZ :

Il aime seulement le vin rouge.
Il **n'**aime **que** le vin rouge.

Elle travaille seulement deux jours par semaine.
Elle **ne** travaille **que** deux jours par semaine.

Ils partent seulement trois jours.
Ils **ne** partent **que** trois jours.

EXERCICE 6 *Répondez aux questions en utilisant la forme négative.*

1. Avez-vous besoin d'aide ?

Non, je _____

2. Est-ce que quelqu'un a des questions ?

Non, _____

3. Avez-vous déjà vu ce film ?

Non, nous _____

4. Est-ce que quelqu'un a pris mon superbe crayon en or ?

Non, _____

5. Est-ce qu'elles se voient encore ?

Non, _____

6. As-tu acheté quelque chose pour l'anniversaire de ton voisin ?

Non, _____

7. Est-ce que leur garçon de vingt-six ans habite encore avec eux ?

Non, _____

8. Aviez-vous déjà rencontré M. Dupire ?

Non, je _____

9. As-tu fait quelque chose hier soir ?

Non, _____

10. A-t-il dit quelque chose ?

Non, _____

EXERCICE 7   *Répondez aux questions en utilisant* ne... que...

Exemple : Est-ce qu'ils ont deux automobiles ?
(une) Non, ils n'ont qu'une automobile.

1. Est-ce qu'il aime tous les produits laitiers ?

(fromage) Non, _____

2. Est-ce qu'il fait beaucoup de sports ?

(natation) Non, _____

3. Est-ce qu'elle va souvent au marché ?

(samedi) Non, _____

4. Est-ce que tu as fait beaucoup d'erreurs ?

(une) Non, _____

5. Est-ce qu'elle sort tous les soirs ?

(la fin de semaine) Non, _____

7
Les prépositions

Voici une liste de prépositions souvent utilisées :

• à	• derrière	• malgré	• selon
• après	• dès	• par	• sous
• avant	• devant	• parmi	• sur
• avec	• durant	• pendant	• vers
• chez	• en	• pour	• voici
• contre	• entre	• près	• voilà
• dans	• envers	• proche	• vu
• de	• excepté	• sans	
• depuis	• jusque	• sauf	

1. Pour parler d'un **lieu**, on utilise souvent les prépositions suivantes :
   - à   (entre autres, devant le nom d'une ville ou d'une île)
   - en   (entre autres, devant les noms de pays, de provinces, d'États qui sont féminins)
   - chez   (entre autres, devant les noms de profession)
   - dans
   - jusqu'à
   - vers

2. Pour parler du **temps**, les prépositions suivantes sont souvent utilisées :

• à	• depuis
• de	• pendant
• vers	• jusqu'à
• pour	• durant
• avant	• dans
• après	• dès

3. Pour parler d'un **moyen de transport**, on utilise souvent les prépositions suivantes :
   - à   (entre autres, devant un moyen de transport qu'on enfourche)
   - par   (entre autres, dans l'expression **voyager par le train**)
   - en   (entre autres, dans les cas où les véhicules contiennent la personne)

4. Pour parler de l'**ordre** ou du **rang**, on utilise souvent les prépositions suivantes :
   - avant
   - devant
   - derrière

5. Pour marquer l'**opposition**, on utilise souvent les prépositions suivantes :
   - contre
   - malgré

6. Pour marquer l'**exclusion**, on utilise souvent les prépositions suivantes :
   - sans
   - sauf
   - excepté

EXERCICE 1   *Parmi les six prépositions utilisées pour parler d'un lieu, placez celle qui convient le mieux dans chacune des phrases.*

1. Il est allé _____ Vancouver la semaine passée.

2. Elle habite _____ Nouvelle-Écosse.

3. Ils sont déménagés _____ un quartier très riche.

4. Pour venir chez moi, tu dois prendre le boulevard des Pins _____ _____ la rue Sapin.

5. Elle est partie _____ Californie pour trois mois.

6. Quand vous partez de Montréal, vous devez rouler _____ le nord pour aller à Saint-Sauveur.

7. Nous ne sommes jamais allés _____ les Territoires du Nord-Ouest.

8. Il doit marcher _____ la station de métro.

9. Elles sont allées _____ New York pendant la fin de semaine.

10. L'hiver, les oiseaux s'envolent _____ le sud.

EXERCICE 2   *Parmi les prépositions utilisées pour parler du temps, placez celle qui convient le mieux dans chacune des phrases.*

1. Ils auront terminé _____ une demi-heure.

2. Ils sont partis _____ la fin du film parce qu'ils n'aimaient pas l'histoire.

3. Elle est restée au bureau _____ deux heures du matin.

4. Si mes calculs sont bons, il devrait revenir ici _____ deux heures de l'après-midi.

5. Il s'est beaucoup reposé _____ ses vacances.

6. Je pourrai aller te voir _____ le souper.

7. Elle a attendu à l'aéroport _____ midi _____ quatre heures.

8. Je vais l'appeler _____ mon retour au bureau.

EXERCICE 3   *Dans la liste, trouvez la préposition qui convient dans chacune des phrases.*

selon – sans – sauf – avec – envers

1. Tout le monde était là, _____ Michel.

2. Je ne sais pas ce que je ferais _____ toi.

3. Elle manque de respect _____ ses professeurs.

4. _____ lui, ils ne viendront pas.

5. Il est parti _____ la mauvaise enveloppe.

EXERCICE 4   *Dans la liste, trouvez la préposition qui convient dans chacune des phrases.*

depuis – parmi – vers – vu – selon – contre – sans – pendant

1. Il devrait revenir _____ quatre heures.

2. _____ moi, ce politicien ne sera pas élu.

3. Il est entré _____ faire de bruit.

4. Ils choisiront une personne _____ nous.

5. J'ai attendu _____ deux heures.

6. J'attendais cette occasion _____ longtemps.

7. Tu ne peux pas faire ça ! C'est _____ la loi.

8. _____ le mauvais temps, le tournoi a été annulé.

LES LOCUTIONS PRÉPOSITIVES

Voici une liste de locutions* prépositives souvent utilisées :

- à cause de
- à côté de
- à défaut de
- afin de
- à force de
- à l'abri de
- à l'égard de
- à l'exception de
- à l'insu de
- à moins de
- à raison de

- à travers
- au bas de
- au-delà de
- au-dessous de
- au-dessus de
- aux dépens de
- aux environs de
- au lieu de
- au milieu de
- auprès de

- autour de
- avant de
- d'après
- d'entre
- de façon à
- de manière à
- du côté de
- en bas de
- en dépit de
- en face de

- en plus de
- étant donné
- grâce à
- hors de
- jusqu'à
- loin de
- lors de
- par rapport à
- près de
- quant à

* Une locution est un groupe de mots.

EXERCICE 5   *À l'aide des illustrations, répondez aux questions en utilisant les locutions prépositives de la liste ci-dessous.*

près de – en face de – autour de – à côté de – loin de

1. Où est la mouche par rapport à Patrice ?

Elle est _____ Patrice.

2. Où est la mouche par rapport à Patrice ?

Elle est _____ Patrice.

3. La mouche est-elle à côté ou en face de Patrice ?

Elle est _____ Patrice.

4. Maintenant, où est la mouche ?

Elle est _____ Patrice.

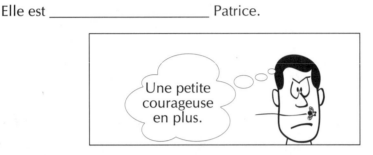

5. Que fait la mouche ?

Elle vole _____ Patrice.

EXERCICE 6 *Dans la liste, trouvez la locution prépositive qui convient pour chaque phrase.*

lors de – étant donné – grâce à – d'après – hors de – avant de

1. Nous avons obtenu ce contrat _____ lui.

2. Nous discuterons de cette affaire _____ notre prochaine réunion.

3. Tu devrais réfléchir un peu _____ prendre ta décision.

4. _____ lui, les ventes augmenteront si nous baissons nos prix.

5. C'est _____ question ! Nous ne baisserons pas nos prix !

6. _____ les circonstances, ils retarderont le projet.

8
Les conjonctions

Voici une liste de conjonctions souvent utilisées :

- car
- cependant
- comme
- ensuite

- et
- lorsque
- mais
- néanmoins

- or
- ou
- pourtant
- puis

- puisque
- quand
- sinon
- toutefois

EXERCICE 1   *Dans la liste ci-dessous, trouvez la conjonction qui convient à chaque phrase.*

ensuite – puisque – sinon – car – puis

1. Je dois terminer ce travail aujourd'hui, _____ tout doit être prêt demain.

2. Tu devrais te concentrer un peu plus quand tu calcules, _____ tu vas te tromper.

3. _____ vous êtes très occupé, je reviendrai plus tard.

4. Je vais terminer ce que j'ai à faire et, _____ , j'irai vous rejoindre.

5. Il est venu me porter ses choses, _____ il est reparti.

EXERCICE 2   *Remplacez les points de suspension par la conjonction appropriée.*

1. Nous vous paierons... nous aurons reçu la marchandise.
   a) ensuite
   b) lorsque
   c) et

2. Mets la crème glacée dans le congélateur... elle va fondre.
   a) quand
   b) mais
   c) sinon

3. Je voudrais y aller, ... je ne peux pas.
   a) puisque
   b) car
   c) mais

4. J'ai raté mon gâteau. C'est... une recette très simple à faire.
   a) pourtant
   b) ensuite
   c) puisque

5. Ce produit est très bon, ... il ne fait pas de miracle.
   a) puisque
   b) toutefois
   c) comme

LES LOCUTIONS CONJONCTIVES ET ADVERBIALES

Voici une liste de locutions conjonctives et adverbiales souvent utilisées :

- à condition que
- afin que
- à moins que
- au fur et à mesure que
- aussitôt que
- autant que
- avant que
- bien que
- de ce que
- de même que
- de peur que
- depuis que
- dès que
- en attendant que
- étant donné que
- jusqu'à ce que
- maintenant que
- moins que
- parce que
- pendant que
- plutôt que
- pour que
- pourvu que
- sans que
- sauf que
- tandis que
- tant que
- vu que
- à la vérité
- après tout
- au cas où
- au contraire
- au moins
- aussi bien
- c'est-à-dire
- c'est pourquoi
- d'ailleurs
- de plus
- du moins
- du reste
- en effet
- en revanche
- et puis
- ou bien
- par conséquent
- par contre
- quand même
- sans quoi

EXERCICE 3 *Avec la liste des locutions conjonctives et adverbiales ci-dessous, complétez les phrases.*

sans que – à condition que – en attendant que – c'est pourquoi – de même que – maintenant que

1. Ils nous prêteront l'argent _____ nous puissions les rembourser d'ici trois mois.

2. _____ ton examen est terminé, tu vas pouvoir relaxer.

3. Nous pourrions prendre un café _____ ils arrivent.

4. Il s'est opposé à la décision _____ les autres personnes présentes.

5. Ils ont tout organisé la fête _____ je le sache.

6. Elle était à l'extérieur de la ville et _____ elle n'est pas venue.

EXERCICE 4   *Avec la liste des locutions conjonctives et adverbiales ci-dessous, complétez les phrases.*

tant que – étant donné que – par contre – au cas où – jusqu'à ce que – depuis que

1. _____ tout le monde a beaucoup de travail, je crois que nous devrions remettre notre réunion à demain.

2. J'ai dit aux enfants qu'ils pouvaient jouer dehors _____ il fasse noir.

3. Elle a apporté son parapluie _____ il pleuvrait.

4. Nous n'avons pas eu de ses nouvelles _____ elle a déménagé.

5. Je ne lui reparlerai pas _____ il ne se sera pas excusé.

6. Ils n'ont pas eu le temps de visiter beaucoup de choses pendant leur voyage, _____ ils se sont bien reposés.

PARTIE III

Corrigé

Thèmes

THÈME **1** *La santé*

RÉVISION

1. a) Pour être en bonne santé, il faut avoir une bonne alimentation, être optimiste et faire de l'exercice.
   b) Quand on est malade, il faut aller chez le médecin et prendre des médicaments.
2. les fruits et les légumes
   les produits laitiers
   les céréales et le pain
   les viandes et les poissons
3. a) il faut manger plus de fruits que de gâteaux.
   b) il faut manger autant de riz que de pâtes alimentaires.
   c) il faut manger moins de bœuf que de légumes.
   d) il faut boire plus de jus d'orange que de café.
   e) il faut boire moins de vin que de jus.
4. a) j'avais   b) je faisais
      tu avais   tu faisais
      il/elle/on avait   il/elle/on faisait
      nous avions   nous faisions
      vous aviez   vous faisiez
      ils/elles avaient   ils/elles faisaient
   c) j'étais
      tu étais
      il/elle/on était
      nous étions
      vous étiez
      ils/elles étaient
5. a) Oui, je fais encore du yoga.
   b) Oui, il est encore au régime.
   c) Non, nous ne jouons plus au golf.
   d) Non, je ne suis plus fatigué.
   e) Non, elle n'a plus le rhume.
6. je jouais au baseball.
   je regardais la télévision.
   je lisais des bandes dessinées.
7. le pion – la tour – le cavalier – le fou – la reine – le roi

EXERCICE 1

1. l'ouïe
2. le toucher
3. la vue
4. le goût
5. la vue
6. le goût
7. l'odorat
8. la vue
9. le toucher
10. l'odorat

EXERCICE 2

1. Elle a mauvaise mine.
2. Il est maigre comme un clou.
3. Elle est rayonnante de santé.
4. Il est fort comme un bœuf.
5. Il est sourd comme un pot.
6. Elle a le sourire accroché aux lèvres.
7. Il est bien bâti.
8. Elle ne fait pas son âge.

EXERCICE 3

Réponses suggérées :
1. du repos – du sirop
2. un comprimé analgésique – du repos
3. de l'eau froide
4. du peroxyde
5. de la chaleur – un massage
6. un mélange d'eau et de bicarbonate de soude
7. un mélange d'eau et de lait froid
8. de la chaleur

EXERCICE 4

1. une pneumonie
2. un ulcère
3. l'arthrite
4. le sida
5. la fièvre des foins
6. le cancer
7. la rougeole

EXERCICE 5

1. Elle s'est fait soigner (par un cardiologue) parce qu'elle a fait un infarctus.
2. Il s'est fait traiter (par un chiropraticien) parce qu'il avait des problèmes de dos.
3. Je me suis fait faire une prothèse auditive (par un audioprothésiste) parce que j'avais des problèmes d'audition.
4. Tu t'es fait suivre par un psychologue parce que tu as subi un choc nerveux.
5. Il s'est fait faire une perruque (par un perruquier) parce qu'il est chauve.
6. Elle s'est fait refaire le nez (par un chirurgien) parce qu'elle n'aimait pas son nez.

EXERCICE 6

1. Si je n'avais pas bu autant de vin, je n'aurais pas eu mal à la tête.
2. Si elle avait mangé plus lentement, elle n'aurait pas eu mal à l'estomac.
3. S'il avait mis ses lunettes, il n'aurait pas eu mal aux yeux.
4. Si vous aviez mangé moins de chocolat, vous n'auriez pas eu mal aux dents.
5. Si tu avais descendu l'escalier prudemment, tu ne te serais pas foulé la cheville.
6. Si elle avait fait des exercices d'échauffement, elle n'aurait pas eu de crampe dans la jambe pendant son cours de danse aérobique.
7. Si elle avait été plus prudente avec son couteau, elle ne se serait pas coupée.
8. Si l'abeille ne l'avait pas piqué, il n'aurait pas eu le bras enflé.

EXERCICE 8

1. Quand une personne a un appétit d'oiseau, elle mange peu.
2. Quand une personne mange avec excès, elle mange trop.
3. Quand une personne boit comme un trou, elle boit trop.
4. Quand une personne a un appétit de loup, elle mange beaucoup.
5. Quand une personne prend une goutte d'alcool, elle boit peu.
6. Quand une personne reste sur sa faim, elle ne mange pas assez.
7. Quand une personne a l'estomac dans les talons, elle a très faim.
8. Quand une personne a l'estomac plein, elle a assez mangé.

EXERCICE 9

1. Tu l'avais tout mangé.
2. J'en aurais repris.
3. Il en aurait voulu encore.
4. Nous l'avions finie.
5. Ils en avaient trop mangé.
6. Elle l'avait renversé.
7. Il l'avait tranchée.
8. Elle les avait servis.
9. Il l'avait oublié.
10. Ils les auraient vidés.

EXERCICE 10

(MARIE) — Sylvie, ton repas est délicieux !

(SYLVIE) — Tant mieux !

(JACQUES) — Ta sauce aux ananas est succulente. Est-ce que je peux en avoir d'autre ?

(SYLVIE) — Bien sûr !

(JEAN-LUC) — Marie, passe-moi le beurre, s'il te plaît.

(MARIE) — Tiens, le voilà.

(SYLVIE) — Jacques, tu as tout mangé ton jambon. En veux-tu encore ?

(JACQUES) — Non merci, mais je prendrais bien d'autre riz.

(SYLVIE) — Tu l'aimes ?

(JACQUES) — Oui. Quelle est ta recette ?

(SYLVIE) — J'ai simplement haché quelques légumes et je les ai mélangés avec du riz blanc.

(JEAN-LUC) — Il reste du vin. Qui en veut ?

(MARIE) — J'en prendrais bien encore une goutte.

(SYLVIE) — Pour dessert, j'ai préparé une superbe tarte au citron. Jean-Luc, irais-tu la chercher s'il te plaît ? Elle est dans le frigo.

(JEAN-LUC) — Sylvie, où sont les assiettes à dessert ? Je ne les trouve pas.

(SYLVIE) — Elles sont dans l'armoire au-dessus de la cuisinière.

(JEAN-LUC) — Marie, veux-tu de la tarte ?

(MARIE) — Oui, j'en prendrais bien une petite pointe.

(JEAN-LUC) — Et toi, Jacques, en veux-tu ?

(JACQUES) — Quelle question ! J'en veux une grosse pointe. J'ai un appétit de loup ce soir.

(SYLVIE) — Jacques, veux-tu du café ?

(JACQUES) — Oui, j'en veux.

(SYLVIE) — Marie, veux-tu du café ?

(MARIE) — Oui, j'en veux.

(SYLVIE) — Mets-tu du sucre dans ton café ?

(MARIE) — Non, je n'en mets pas.

EXERCICE 11

1. a) ingrédients : des épinards – de la sauce tomate – de l'huile d'olive – du fromage râpé – du spaghetti – une gousse d'ail
   mode de préparation : faire bouillir de l'eau – mettre les pâtes dans l'eau bouillante – égoutter les pâtes – faire chauffer l'huile – faire revenir l'ail et les épinards – ajouter la sauce tomate – verser la préparation sur le spaghetti – saupoudrer de fromage râpé
   b) ingrédients : du thon – de la laitue – une tomate – de la vinaigrette légère
   mode de préparation : détacher des feuilles de laitue – émietter le thon – couper la tomate en dés – placer les ingrédients dans un saladier – ajouter la vinaigrette – bien mélanger
   c) ingrédients : un kiwi – des cerises – une banane – une pomme – une orange – une poire
   mode de préparation : couper les fruits en petits morceaux – bien mélanger tous les fruits – servir la salade dans une coupe à dessert
2. Réponses suggérées :
   a) souplesse musculaire – coordination
   b) meilleurs réflexes – coordination – maîtrise physique
   c) tonus musculaire – stimulation de la circulation sanguine
   d) techniques de respiration – harmonie du corps et de l'esprit – meilleure concentration
   e) détente – stimulation de la circulation sanguine
   f) maîtrise physique – meilleure concentration – souplesse musculaire

EXERCICE 12

1. Le sujet est l'attitude positive et ses bienfaits.
2. a) arriver (vous étiez arrivé)
   b) dire (vos collègues auraient dit) – raconter (ils auraient raconté) – avoir (ils n'auraient pas eu)
3. toutefois
4. la joie – la tristesse
5. il va sans dire que...
6. pénibles

7. a) Sur la première liste, il faut que j'inscrive les événements très pénibles de ma vie.
   b) Sur la seconde liste, il faut que j'indique les circonstances où j'ai eu une attitude négative sans raison valable.

8. a) événements (pénibles à vivre)
   b) (seconde) liste
9. faire preuve d'une attitude positive
10. Elle est définie comme un état de bien-être mental.

THÈME *2*   *Les qualités et les défauts*

RÉVISION

1. a) Oui, elle lui ressemble.
   b) Oui, ils lui ressemblent.
   c) Oui, il leur ressemble.
   d) Non, je ne lui ressemble pas.
   e) Non, elle ne lui ressemble pas.
2. que je sois   que nous soyons
   que tu sois   que vous soyez
   qu'il/elle/on soit   qu'ils/elles soient
3. a) méchant
   b) impoli
   c) optimiste
   d) attentif
   e) sage/tranquille/silencieux
4. a) nerveuse   d) prudente
   b) attentive   e) distraite
   c) têtue

EXERCICE 1

1. être bavard   5. être travailleur
2. être effronté   6. être indécis
3. être maladroit   7. être borné
4. être brave   8. être curieux

EXERCICE 2

1. Elle a une patience d'ange.
2. Ils parlent dans son dos.
3. C'est un enfant gâté.
4. Il tape sur les nerfs de tout le monde.
5. C'est un vrai bourreau de travail.
6. Il a une conduite exemplaire.
7. C'est une perle rare.
8. Elles ne peuvent pas se sentir.

EXERCICE 3

1. Il est désespéré.   6. Il est décidé.
2. Ils sont prétentieux.   7. Ils sont ambitieux.
3. Elle est cultivée.   8. Il est acharné.
4. Il est détestable.   9. Elle est négligente.
5. Elle est craintive.   10. Il est exigeant.

EXERCICE 4

1. Il se comporte mieux qu'avant.
2. Elle se comporterait mieux si elle se sentait appréciée.

3. Ils n'agiraient pas comme ils le font s'ils étaient moins stressés.
4. Hier, vous vous êtes mal comportés devant le directeur.
5. Si j'avais su, je n'aurais pas agi comme je l'ai fait.
6. S'il m'avait prévenu que cet homme était son patron, je me serais comporté mieux que ça !
7. À l'avenir, il faudrait que nous nous comportions mieux quand nous devons régler des problèmes.
8. Il faut que vous agissiez avec prudence.
9. Si tu agis bien, tu seras récompensé.
10. Si tu te comportes mal, tu seras puni.

EXERCICE 5

1. Il écoute attentivement.
2. Il agit nerveusement.
3. Il s'exprime clairement.
4. Il travaille intelligemment.
5. Il étudie sérieusement.
6. Il attend patiemment.
7. Il réagit calmement.
8. Il se comporte hypocritement.
9. Il réfléchit tranquillement.
10. Il agit égoïstement.

EXERCICE 6

1. Il faudrait que tu sois un peu plus ponctuel, sinon tu perdras ton emploi.
2. Il faudrait que nous soyons beaucoup plus sérieux, sinon nous échouerons notre examen.
3. Il faudrait qu'elle soit un peu moins bavarde, sinon le professeur lui dira de se taire.
4. Il faudrait que vous soyez beaucoup moins agressif, sinon les clients porteront plainte.
5. Il faudrait qu'il soit beaucoup plus calme, sinon il aura un ulcère d'estomac.

EXERCICE 8

1. Nous la trouvons gentille.
2. Ils l'ont trouvé sévère.
3. Nous l'avons trouvé nerveux.
4. Je le trouve très sympathique.
5. Elles les trouvaient très chaleureux.
6. Nous les trouvons très travailleurs.

EXERCICE 9

1. Oui, j'en avais. **ou** Non, je n'en avais pas.
2. Oui, j'en jouais. **ou** Non, je n'en jouais pas.
3. Oui, j'en ai. **ou** Non, je n'en ai pas.
4. Oui, j'en ai développé. **ou** Non, je n'en ai pas développé.
5. Oui, j'en ai. **ou** Non, je n'en ai pas.

EXERCICE 10

1. l'analytique – l'actif – le colérique – le distrait
2. Ils ont perdu leurs clés.

3. indépendant
4. On la compare à un grand détective.
5. méthodiquement
6. dès
7. Elle ne supporte pas l'idée d'être retardée.
8. On le compare à un volcan en éruption.
9. Il devient de mauvaise humeur.
10. Pour le distrait, égarer ses clés est un fait banal.

THÈME *3* *La météo*

RÉVISION

1. a) Le temps est orageux.
   b) Il fait une chaleur étouffante.
   c) Le temps est couvert.
   d) Elle prend un bain de soleil.
2. a) Il neige.   e) Le temps s'éclaircit.
   b) Il a venté.   f) Le temps s'est ennuagé.
   c) Il pleuvait.   g) Il faisait froid.
   d) Il grêlera.   h) Il fera beau.
3. a) S'il vente, nous ferons de la planche à voile.
   b) S'il neige, elles feront du ski.
   c) S'il fait froid, nous resterons à la maison.
4. a) Il faisait beau.
   b) Il pleuvait.
   c) Parce qu'il faisait froid.

EXERCICE 1

Réponses suggérées :
1. caractéristiques : orages – vent très violent – forte pluie
   dommages : arbres déracinés – pannes de courant – toits arrachés – vitres brisées
2. caractéristique : bourrasque de vent tourbillonnant
   dommages : arbres déracinés – pannes de courant – toits arrachés – vitres brisées
3. caractéristiques : chutes de neige abondante – poudrerie – vent glacial
   dommages : pannes de courant – accidents routiers
4. caractéristiques : absence de précipitations atmosphériques – soleil de plomb
   dommages : perte des récoltes – manque d'eau potable – troupeaux d'animaux malades

EXERCICE 2

1. de l'argent
2. du pain
3. de l'eau potable
4. une trousse de premiers soins
5. un marteau
6. un ballon de football, une balle et une raquette
7. des ciseaux
8. un extincteur
9. un rouli-roulant
10. un tournevis
11. une scie
12. une pelle
13. des clous
14. un jeu de dames
15. une lampe de poche

EXERCICE 3

1. Dans cette vaste région continentale et insulaire, le climat est très froid. Les Inuits et les Lapons sont des peuples qui vivent depuis très longtemps dans cette région aux températures glaciales.
2. Dans cette région désertique, les cultures sont impossibles (sauf dans les oasis) à cause du climat aride et sec. Certains nomades, dont les Maures et les Touaregs, y font l'élevage des chameaux.
3. Cette vaste région de l'Amérique du Sud a un climat équatorial. On trouve une végétation verdoyante grâce aux températures élevées et aux pluies abondantes et régulières.
4. Cet archipel qui s'étend entre l'océan Atlantique et la mer des Antilles a un climat tropical. Ce type de climat permet de cultiver, entre autres, la canne à sucre, les bananes, le café et les agrumes. Les vents réguliers, appelés alizés, apportent des pluies plus ou moins abondantes.

EXERCICE 4

1. S'il avait fait beau, nous aurions pu jouer au tennis.
2. S'il n'avait pas venté, nous aurions joué au badminton.
3. S'il avait neigé moins fort, nous aurions marché jusqu'au magasin.
4. S'il n'avait pas plu, nous nous serions baignés.
5. S'il avait fait moins froid, serait-elle venue skier avec nous ?
6. S'il avait fait plus beau, serait-il allé travailler ?

EXERCICE 6

1. Je souhaite qu'il fasse beau samedi prochain, car...
2. Il est possible qu'il pleuve ce soir, alors...
3. Ils aimeraient qu'il neige beaucoup cet hiver parce que...
4. Je voudrais qu'il fasse beau et chaud toute l'année, car...
5. Elles souhaitent qu'il vente, car elles...

EXERCICE 7

1. ... « Nous devrions nous mettre à l'abri sous cet arbre et attendre que la pluie cesse. »
2. ... « Je vais aller prendre l'air quelques minutes. »
3. ... « Faites attention ! Vous allez prendre froid. »
4. ... « Tu devrais faire aérer un peu, on étouffe ici ! »
5. ... « Nous devrions nous mettre à l'ombre, il fera moins chaud. »

EXERCICE 8

1. Quand il vente fort, la mer est agitée.
2. Il y a des arcs-en-ciel après la pluie.
3. Le mélange de la terre avec de l'eau s'appelle de la boue.
4. L'eau qui est congelée s'appelle de la glace.
5. Quand le temps est très humide et qu'il y a une sorte de nuage près du sol qui bloque la vue, on dit qu'il y a de la brume.

EXERCICE 9

1. Je les avais mises sur...
2. Je l'avais apporté parce que...

3. Oui, tu aurais dû l'apporter, car...
4. Oui, on devrait l'ouvrir, sinon...
5. Oui, je l'aurais mise parce que...
6. Ils ne les ont pas apportés parce qu'ils...
7. Nous les avions cachées...
8. Elle les met parce que...

EXERCICE 10

1. Ces animaux sont les abeilles et les écureuils.
2. Cela signifiait que l'automne serait beau.
3. coasser (les crapauds coassent)
4. Ces personnes s'appellent des météorologues.
5. Les quatre phénomènes sont : des dépressions, du vent, des nuages et des précipitations.
6. Parce que les conditions atmosphériques ont une influence directe sur leurs décisions.
7. Pour mieux contrôler la situation en cas de catastrophes.
8. déprimant ; contrariant
9. Il est toujours possible que Dame Nature joue des tours aux météorologues.
10. néanmoins ; toutefois

THÈME *4*   *Les transports*

RÉVISION

1. a) une motoneige
   b) une dépanneuse
   c) un voilier
   d) un hélicoptère
   e) une montgolfière
   f) une fusée
2. a) j'allais
      tu allais
      il/elle/on allait
      nous allions
      vous alliez
      ils/elles allaient
   b) je conduisais
      tu conduisais
      il/elle/on conduisait
      nous conduisions
      vous conduisiez
      ils/elles conduisaient
   c) je prenais
      tu prenais
      il/elle/on prenait
      nous prenions
      vous preniez
      ils/elles prenaient
3. l'est – l'ouest – le nord – le sud
4. a) un feu de circulation
   b) un arrêt
   c) un pont
   d) un tunnel
5. a) un hydravion
   b) des cargos
   c) Réponses suggérées :
      un hélicoptère – une montgolfière – une fusée – une navette spatiale
   d) une voie ferrée

EXERCICE 1

Pierre s'en allait en automobile chez son ami Francis qui habite à la campagne. Soudainement, il a aperçu un chien qui était assis en plein milieu d'un petit pont et qui regardait en l'air. Pierre a ralenti et a regardé dans le ciel pour savoir ce que le chien pouvait bien regarder, mais il n'y avait absolument rien ! Pierre est descendu de sa voiture et s'est approché du chien. Il a dit au chien : « Chien-chien, tu vas te faire frapper si tu restes là. » Comme Pierre prononçait ces mots, une automobile s'en venait assez rapidement et le conducteur a évité le chien de justesse. Pierre a dit au chien : « Bon, ça suffit ! Monte dans la voiture avec moi, tu vas te faire tuer ici ! »

...

(FRANCIS) – Évidemment ! Meldor a le vertige. Chaque fois qu'il essaie de traverser le pont, il regarde en bas et il panique. Pour avoir moins peur, il regarde dans le ciel jusqu'à ce qu'il se sente mieux.

...

EXERCICE 3

Réponses suggérées :

1. Le conducteur s'est fait arrêter parce qu'il a tourné à gauche et qu'il n'en avait pas le droit.
2. Le conducteur s'est fait arrêter parce qu'il n'avait pas le droit de faire demi-tour à cet endroit.
3. Il s'est fait arrêter parce qu'il avait bu trop d'alcool.
4. Il s'est fait arrêter parce qu'il a grillé un feu rouge.

EXERCICE 4

1. a) la bicyclette
   b) le métro
   c) le bateau

EXERCICE 6

1. Elle pourra utiliser la voiture après avoir obtenu son permis de conduire.
2. Ils prendront l'autobus après avoir vendu leur automobile.
3. Il m'a remercié de l'avoir reconduit jusque chez lui.
4. Il faut toujours bien visser le bouchon du réservoir après avoir fait le plein d'essence.
5. Il devrait être revenu à la maison d'ici une heure.
6. Il ne faut jamais conduire après avoir consommé plusieurs verres d'alcool.

EXERCICE 7

1. Il a fait le tour de la Gaspésie à bicyclette.
2. Ils sont allés au Mexique en avion.
3. Ce serait amusant si les gens devaient aller au bureau à cheval.
4. Il a traversé le désert à moto.
5. Elle est allée à Québec en autobus.
6. Ils ont fait le tour du monde en bateau.

EXERCICE 8

2. a) Il m'a demandé ce que je pensais des automobilistes qui utilisent leur téléphone cellulaire pendant qu'ils conduisent.
   b) Il m'a demandé ce que je pensais des cyclistes qui ne respectent pas la signalisation routière.
   c) Il m'a demandé ce que je ferais si un inconnu marchant sur le trottoir me demandait de le conduire chez un ami.
   d) Il m'a demandé ce que je dirais si on m'obligeait à passer un examen sur le code de la route tous les deux ans.

EXERCICE 9

2. a) Il m'a demandé si je prenais souvent l'autobus.
   b) Il m'a demandé si je trouvais que les horaires d'autobus étaient bien respectés.
   c) Il m'a demandé si je trouvais que les autobus étaient surchargés.
   d) Il m'a demandé si j'étais au courant que le prix de la carte d'autobus va augmenter de 10 % l'année prochaine.
   e) Il m'a demandé si je pensais que cette augmentation était trop élevée.

EXERCICE 12

1. On les appelle les transports en commun.
2. la circulation dense – le manque de stationnement – les routes en réparation – les contraventions – la chaussée glissante
3. Parce qu'ils ne peuvent pas subir la pression de conduire en ville.
4. Il faut courir pour ne pas manquer le métro qui s'en vient. – Il faut attendre l'autobus à la pluie battante. – On peut crever de chaleur dans un autobus bondé de monde.
5. la pluie battante
6. un autobus qui contient le maximum de personnes
7. coûteux
8. Il s'agit de ceux qui habitent tout près de leur travail.
9. simplifier
10. Parce qu'à l'époque de nos ancêtres, les gens trouvaient difficile de se déplacer d'un village à l'autre à cheval et que maintenant on trouve difficile de se déplacer d'un quartier à l'autre en automobile ou par les transports en commun.

THÈME **5** *Le travail*

RÉVISION

1. a) Est-ce qu'il travaille à plein temps ?
   b) Est-ce qu'elle a trouvé un emploi d'été ?
   c) Est-ce que tu recherches/vous recherchez un poste à plein temps ?
   d) Est-ce qu'ils sont payés à la commission ?
   e) Est-ce qu'elles travaillent dans le domaine de l'informatique ?
2. a) Quel est son numéro de téléphone ?
   b) Quel est son nom ?/Comment s'appelle-t-elle ?
   c) Quand/En quelle année a-t-il obtenu son diplôme ?
   d) Combien de temps a-t-il travaillé à la compagnie Zapala ?
3. a) Les employés sont engagés par l'employeur.
   b) Les décisions sont prises par le directeur.
   c) Trois employés ont été congédiés par le patron.
   d) Les horaires de travail seront modifiés par les directeurs.
4. a) engager
   b) déposer
   c) s'impatienter
   d) perdre
   e) dépenser
   f) prêter/rembourser

EXERCICE 1

1. Il travaille dans une boîte de nuit.
2. Il travaille dans un hôtel de ville.
3. Il travaille dans une firme de courtage.
4. Il travaille dans un atelier de menuiserie.
5. Il travaille dans une boutique d'artisanat.
6. Il travaille dans une quincaillerie.
7. Il travaille dans une cordonnerie.
8. Il travaille dans une usine de recyclage.

EXERCICE 2

1. Il travaille dans les champs/dans une ferme.
2. Il travaille sur la route.
3. Il travaille dans un port.
4. Il travaille dans les cheminées.
5. Il travaille dans les mines.

EXERCICE 3

1. Il faudrait que je plaide des causes.
2. Il faudrait que je soigne les enfants.
3. Il faudrait que j'élève des abeilles.
4. Il faudrait que j'abatte des arbres.
5. Il faudrait que je couse des vêtements.
6. Il faudrait que j'aménage des jardins.
7. Il faudrait que je répare les carrosseries d'automobiles.
8. Il faudrait que je fasse l'enlèvement des ordures ménagères.

EXERCICE 4

1. Je vais la chercher.
   ou Je la fais livrer.
2. Je les tape moi-même.
   ou Je les fais taper.
3. Je vais le voir dans son bureau.
   ou Je le fais venir dans mon bureau.
4. Je la fais moi-même.
   ou Je la fais faire au garage.
5. Je les poste moi-même.
   ou Je les fais poster par quelqu'un d'autre.

EXERCICE 5

1. J'irai voir le tailleur.
2. J'irai voir le bijoutier.
3. J'irai voir l'antiquaire.
4. J'irai voir le vétérinaire.
5. J'irai voir l'optométriste.
6. J'irai voir le traiteur.

EXERCICE 7

5. Suggestions de réponses :
   infirmier(ière) – médecin – serveur(euse) – camionneur(euse) – pompier(ière)

EXERCICE 9

1. Il cherchera un autre emploi quand il aura terminé son baccalauréat.
2. Elle s'achètera une nouvelle automobile quand elle aura reçu son augmentation de salaire.
3. Il s'ouvrira un commerce quand il aura économisé suffisamment d'argent.
4. Les employés cesseront de faire la grève quand ils auront trouvé un terrain d'entente avec la partie patronale.

5. Il deviendra officiellement le président de l'entreprise quand il aura signé le contrat.
6. Tu ne pourras pas accéder à ce poste tant que tu n'auras pas acquis cinq ans d'expérience.
7. Elles pourront bénéficier des avantages sociaux quand elles auront travaillé à plein temps pendant au moins six mois.
8. Nous ne pourrons pas régler ce problème tant qu'elle ne sera pas revenue de vacances.

EXERCICE 10

1. Je rentrerai chez moi quand j'aurai fini mon travail.
2. Je te donnerai mon opinion quand je l'aurai lu.
3. Il pendra sa décision quand il les aura rencontrées.
4. Non, elle le signera quand elle sera revenue au bureau.
5. Je la rendrai publique quand je l'aurai annoncée à tous les employés.
6. Elle pourra le faire quand elle aura terminé tous ses cours.
7. Oui, il la fera quand il aura épargné l'argent nécessaire.
8. Elle la prendra quand elle aura eu le temps de bien analyser la situation.

EXERCICE 11

1. Oui, il en recevait un.
2. Non, il n'en reçoit pas.
3. Non, elle n'en a pas.
4. Oui, elle en a un.
5. Oui, il en aurait pris une.
6. Oui, tu aurais dû en prendre une.
7. Non, nous n'en avons pas.
8. Oui, ils en avaient pris.

EXERCICE 12

1. Il est le directeur du personnel.
2. Il travaille à la compagnie Idamo.
3. Il travaille pour cette compagnie depuis vingt-deux ans.
4. Parce qu'il est un directeur dynamique et qu'il a un bon sens de l'humour.
5. Il a dit qu'il s'était fait voler son automobile.
6. Parce qu'il ne voulait pas être trop en retard.
7. Il s'est rendu au bureau à pied.
8. Parce que cela faisait trop de fois qu'il était en retard.
9. Au bout d'une demi-heure.
10. Quand il est allé au restaurant du coin.

THÈME **6** *Les actions quotidiennes*

RÉVISION

1. a) Si j'avais un domestique, il laverait/ferait la vaisselle.
   b) Si j'avais un domestique, il ferait le lavage/la lessive.
   c) Si j'avais un domestique, il repasserait (les vêtements).
   d) Si j'avais un domestique, il ferait le ménage.

2. a) j'avais
   tu avais
   il/elle/on avait
   nous avions
   vous aviez
   ils/elles avaient

   b) j'étais
   tu étais
   il/elle/on était
   nous étions
   vous étiez
   ils/elles étaient

3. a) j'aurais
      tu aurais
      il/elle/on aurait
      nous aurions
      vous auriez
      ils/elles auraient

   b) je serais
      tu serais
      il/elle/on serait
      nous serions
      vous seriez
      ils/elles seraient

4. a) Si j'avais une automobile, j'irais chercher les enfants après l'école.
   b) S'il était plus discipliné, il laverait la vaisselle tous les jours.
   c) Nous irions au centre de conditionnement physique plus souvent si nous avions le temps.
   d) Que feriez-vous si vous étiez à ma place ?

5. a) ranger
   b) il faut...
   c) avoir l'air...
   d) C'est hors de question !
   e) Ça suffit !

EXERCICE 1

1. Il s'est cogné la tête sous la table en ramassant son couteau.
2. Elle s'est endormie en regardant la télévision.
3. Il a taché sa cravate en ouvrant la bouteille de ketchup.
4. Nous nous sommes assis dehors en attendant les invités.
5. Elles ont passé le temps en jouant une partie de cartes.
6. Il a lu le journal en déjeunant.
7. Elle a retrouvé sa montre en faisant le ménage.
8. Il a trébuché sur un jouet d'enfant en entrant dans le salon.

EXERCICE 2

1. Suggestions de réponses :
   a) Oui, je la regarde en soupant.
      ou Non, je ne la regarde pas en soupant.
   b) Oui, je l'écoute en conduisant.
      ou Non, je ne l'écoute pas en conduisant.
   c) Oui, je chante en prenant ma douche.
      ou Non, je ne chante pas en prenant ma douche.
   d) Oui, j'en fais en parlant au téléphone.
      ou Non, je n'en fais pas en parlant au téléphone.
   e) Oui, j'en prends un en lisant le journal.
      ou Non, je n'en prends pas en lisant le journal.

EXERCICE 4

Réponses suggérées :
1. Il ne faut jamais allumer la lumière, car il y a un risque d'explosion. Il vaut mieux sortir immédiatement de la maison.
2. Il est très dangereux d'essayer de dégeler les tuyaux avec une torche parce qu'ils peuvent exploser si on les réchauffe trop longtemps. Il est préférable d'appeler un plombier.
3. Il ne faut jamais éteindre le feu avec de l'eau, car l'eau aggravera l'incendie. Il vaut mieux éteindre le feu avec du bicarbonate de soude.
4. Il est très dangereux d'allumer des bougies parce qu'elles peuvent causer un incendie. Il est préférable d'utiliser des lampes de poche.

5. Il ne faut jamais entrer dans la pièce pour fermer le robinet, car il y a un risque d'électrocution. Il vaut mieux couper le courant à la boîte d'entrée de service.

EXERCICE 5

1. Il venait de repeindre le salon quand son petit garçon a mis sa main sur le mur.
2. Ils étaient sur le point de sortir quand des amis sont arrivés à l'improviste.
3. Nous étions en train de jouer à un jeu vidéo quand il y a eu une panne d'électricité.
4. Vous étiez sur le point de vous endormir quand le chien s'est mis à japper.
5. Elle venait de passer l'aspirateur quand il a renversé le bol de graines de tournesol.
6. J'étais en train de faire un gâteau quand j'ai vu que je n'avais plus d'œufs.
7. Il était sur le point de se laver quand il a constaté qu'il n'y avait plus d'eau chaude.
8. Elle venait de fermer la porte quand elle a réalisé qu'elle n'avait pas ses clés.

EXERCICE 6

1. réveiller/se réveiller
2. ranger
3. habiller/s'habiller
4. se reposer
5. jouer
6. réparer
7. inviter
8. surveiller
9. négliger
10. entretenir

EXERCICE 7

1. descendre
2. se déshabiller
3. nettoyer/laver
4. ramasser
5. trouver
6. éteindre
7. sortir
8. vider
9. se coucher
10. desservir

EXERCICE 8

1. Elle s'est endormie en le berçant.
2. Elle leur a raconté une histoire.
3. Ils les ont invités à venir souper samedi soir prochain.
4. Il lui a offert des fleurs.
5. Mon garçon lui a prêté sa bicyclette.
6. Il ne l'a pas entendue.
7. Elle ne leur a pas répondu.
8. Ils leur ont interdit de sortir après huit heures du soir.

EXERCICE 9

1. l'horloge
2. le réfrigérateur
3. la lumière
4. l'aspirateur
5. les fenêtres

EXERCICE 10

1. Normand a des problèmes de ponctualité depuis sa tendre enfance.
2. ... je n'ai pas vu l'heure passer.
3. Normand vient d'avoir 35 ans...
4. Sa secrétaire est en train de devenir folle !
5. Il dit que la circulation était très dense, ou que son rendez-vous précédent avait été plus long que prévu.

6. Réponses possibles :
   Juste avant de partir, il décide de cirer ses chaussures, de laver la vaisselle, de coudre un bouton sur son veston, de nettoyer ses lunettes.
7. Cette expression signifie que l'heure qui est sur la montre est plus avancée que l'heure qu'il est en réalité.
8. Il est incapable de prévoir toutes les petites choses qui doivent être faites dans une journée.

THÈME *7*   *Le bureau*

RÉVISION

1. a) sois   b) écoute   c) fais
      soyons   écoutons   faisons
      soyez   écoutez   faites
   d) réponds   e) va
      répondons   allons
      répondez   allez
2. a) Il le photocopie.   e) Tu l'allumes.
   b) Nous les cherchons.   f) Il les appelle.
   c) Il le nettoie.   g) Elle le vérifie.
   d) Vous les classez.
3. a) envoyer   c) raccrocher
   b) fermer   d) effacer
4. a) Cinquante plus cinq égale cinquante-cinq.
   b) Soixante-sept moins six égale soixante et un.
   c) Quatre-vingt-dix-huit divisé par deux égale quarante-neuf.
   d) Trente-deux multiplié par deux égale soixante-quatre.
5. a) vingt
   b) cent soixante
   c) trois cent quatre-vingt-sept
   d) deux mille six cents
   e) cinq mille quatre cent vingt et un

EXERCICE 1

1. des punaises
2. un timbre dateur
3. un protecteur de surtension
4. des chaises pliantes
5. une table à dessin
6. un projecteur pour diapositives
7. un scanner
8. un écran
9. un rétroprojecteur
10. des câbles

EXERCICE 2

1. Il faut que vous ayez terminé cette lettre avant deux heures.
2. Il faut que tu aies envoyé les factures avant la fin du mois.
3. Il faut que nous ayons trouvé une solution à notre problème avant lundi prochain.
4. Il faut qu'ils aient corrigé tous les documents avant de les envoyer aux clients.

5. Il faut que nous ayons doublé notre chiffre d'affaires avant l'an prochain.
6. Il faut qu'elle ait traduit toute la documentation avant mercredi.
7. Il faut que je sois parti(e) d'ici avant cinq heures.
8. Il faut qu'elle soit rentrée à la maison avant six heures.
9. Il faut que vous soyez revenus(ues) avant que les clients arrivent.
10. Il faut qu'ils aient appelé tout le monde d'ici vendredi.

EXERCICE 3

1. a) C'est de la part de qui, s'il vous plaît ?
      ou Puis-je savoir qui l'appelle ?
   b) M./Mme... est en réunion en ce moment.
   c) Je regrette, M./Mme... n'est pas ici présentement.
      ou M./Mme... est absent(e).
   d) Un instant s'il vous plaît.
      ou Un moment.
   e) Monsieur/Madame..., je vous remercie d'avoir patienté.
      ou Excusez-moi de vous avoir fait attendre.
   f) Monsieur/Madame..., vous patientez toujours ?
   g) Pouvez-vous épeler votre nom, s'il vous plaît ?
   h) Quel est votre numéro de téléphone ?
      ou À quel numéro de téléphone peut-on vous rejoindre ?
   i) C'est à quel sujet ?
      ou Cela concerne quel dossier ?
   j) C'est bien. Je lui ferai le message.
      ou Bien. Je transmettrai votre message à M./Mme... le plus tôt possible.
      ou Très bien. Je lui remettrai votre message aussitôt que possible.
   k) Que puis-je faire pour vous aider ?
      ou Est-ce que je peux vous être utile ?
   l) Je vais transférer votre appel à M./Mme...
      ou Je vais vous mettre en communication avec M./Mme...
2. a) Est-ce que je pourrais parler à M. Piedmont, s'il vous plaît ?
      ou J'aimerais parler à M. Piedmont.
      ou Puis-je parler à M. Piedmont ?
   b) Ici M./Mme...
   c) Savez-vous quand il/elle sera de retour ?
      ou Quand l'attendez-vous ?
      ou Vous l'attendez vers quelle heure ?

d) Oui, j'aimerais qu'il/elle me rappelle dès son retour/ le plus tôt possible.

e) Non, je le/la rappellerai plus tard, merci.
   ou Non, il sera difficile de me joindre aujourd'hui.

EXERCICE 4

1. Puis-je savoir qui l'appelle ?
   ou C'est de la part de qui, s'il vous plaît ?
2. Savez-vous quand il sera de retour ?
   ou Quand l'attendez-vous ?
   ou Vous l'attendez vers quelle heure ?
3. Est-ce que j'ai des messages ?
4. Désirez-vous lui laisser un message ?
   ou Aimeriez-vous lui laisser un message ?
   ou Voulez-vous laisser un message ?
5. Pouvez-vous épeler votre nom, s'il vous plaît ?
6. Qui était-ce ?
7. Pourquoi vous/t'a-t-il rappelé ?
8. Où avez-vous déposé mes messages ?
9. Désirez-vous attendre ?
10. C'est à quel sujet ?
11. Qui était-ce ?
12. Monsieur/Madame..., vous patientez toujours ?

EXERCICE 5

1. Si j'avais su, je lui en aurais parlé avant.
2. Ne raccrochez pas ! Mon associé veut vous parler.
3. Il faut que tu prennes les messages pendant mon absence.
4. Je vous remercie beaucoup et excusez-moi encore une fois de vous avoir dérangé.
5. J'ai attendu presque 15 minutes avant que quelqu'un me réponde.
6. Je lui transmettrai le message dès son retour.
7. J'aimerais parler à M. Ladouceur, s'il vous plaît.
8. Il faut que nous lui téléphonions le plus tôt possible.
9. Il m'a épelé son nom trois fois et malgré tout je n'ai rien compris !
10. Si j'avais pu lui parler, je l'aurais remercié pour tout ce qu'il a fait pour nous.

EXERCICE 6

1. Je le dérange.
   Je la dérange.
   Je les dérange.
2. Elles l'ont félicité.
   Elles l'ont félicitée.
   Elles les ont félicités.
3. Tu lui parlais.
   Tu lui parlais.
   Tu leur parlais.
4. Vous auriez dû le rappeler.
   Vous auriez dû la rappeler.
   Vous auriez dû les rappeler.

EXERCICE 7

1. Je lui ai téléphoné ce matin.
2. Il vient juste de partir.
3. Quel est votre numéro de téléphone à domicile ?
4. Elle désire avoir des informations.
5. Pardonnez-moi.
6. Nous avons discuté au téléphone.
7. Je prendrai mes appels quand j'aurai terminé mon travail.
8. Je voudrais lui parler.

9. Ce système téléphonique est très efficace.
10. Vous avez oublié d'écrire son numéro de téléphone.

EXERCICE 8

1. La ligne est libre.
2. J'ai raccroché le récepteur.
3. Il s'est tu pendant la réunion.
4. Elle est d'une impolitesse incroyable.
5. Il refuse de vous parler.
6. Il devait arriver ce matin.
7. Pouvez-vous ranger le dossier de M. Doucet ?
8. J'ai laissé un message.

EXERCICE 9

Réponses suggérées :
1. Monsieur Lemire, excusez-moi de vous déranger, mais j'aurais besoin de votre signature.
2. De rien. **ou** Ça m'a fait plaisir.
3. J'espère que nous aurons l'occasion de nous revoir. **ou** Au plaisir de vous revoir.
4. Félicitations !
5. Madame Legault, je vous présente...
6. Enchanté. **ou** Ravi de faire votre connaissance.
7. Excusez-moi. **ou** Pardonnez-moi. **ou** Je suis désolé.
8. Ce n'est pas grave. **ou** Ce n'est rien.

EXERCICE 10

(Mᵐᵉ Desforges)	– Madame Laniel, je vous présente M. Lamontagne.
(Mᵐᵉ Laniel)	– Enchantée.
(M. Lamontagne)	– Je crois que nous nous sommes déjà parlé au téléphone, n'est-ce pas ?
(Mᵐᵉ Laniel)	– En effet. J'étais responsable de votre campagne de publicité...
(Un inconnu, s'adressant à Mᵐᵉ Laniel)	– Oh ! Pardonnez-moi ! J'ai renversé du vin sur la manche de votre chandail.
(Mᵐᵉ Laniel)	– Ce n'est pas grave. Ce chandail est lavable.
(M. Lamontagne)	– Excusez-moi, mais je dois partir. J'ai été ravi de faire votre connaissance, Madame Laniel.
(Mᵐᵉ Laniel)	– Moi de même. J'espère que nous aurons l'occasion de nous revoir.
(M. Lamontagne)	– Moi aussi, j'aimerais vous revoir bientôt. Nous devons planifier ma prochaine campagne de publicité. À bientôt !
(Mᵐᵉ Laniel)	– Au revoir !

EXERCICE 12

1. Il est directeur depuis deux mois.
2. Il est découragé parce que les employés ne sont pas disciplinés.
3. Ils n'utilisent pas les ordinateurs et les dictaphones.
4. Il a neuf ans.
5. Le perdant doit faire la vaisselle.
6. C'est entendu.

7. Il est resté seul avec les employés pendant une heure.
8. M. Bigras ne peut pas en croire ses yeux.
9. Il a reçu des félicitations de certains clients qui ont constaté des changements appréciables.

10. Il a installé un jeu vidéo dans chaque ordinateur et il a
    placé des cassettes de musique dans les dictaphones.

THÈME 8   *Les voyages*

RÉVISION

1. a) Nous sommes allés en Chine.
   b) Nous sommes allés au Japon.
   c) Nous sommes allés en Australie.
   d) Nous sommes allés au Brésil.
   e) Nous sommes allés en Algérie.
   f) Nous sommes allés en Tunisie.
   g) Nous sommes allés en Floride.

2. a) je visiterais   b) j'irais
      tu visiterais   tu irais
      il/elle/on visiterait   il/elle/on irait
      nous visiterions   nous irions
      vous visiteriez   vous iriez
      ils/elles visiteraient   ils/elles iraient
   c) je ferais   d) je me baignerais
      tu ferais   tu te baignerais
      il/elle/on ferait   il/elle/on se baignerait
      nous ferions   nous nous baignerions
      vous feriez   vous vous baigneriez
      ils/elles feraient   ils/elles se baigneraient

3. a) Avant de partir en voyage, je fais toujours une liste des
      choses que je dois apporter.
   b) J'aime faire des voyages qui ne coûtent pas cher.
   c) Il y a des personnes qui disent que voyager est un luxe.
   d) Il a des agences de voyages qui proposent des forfaits
      très intéressants.
   e) Quand je voyage, j'aime acheter des choses que je ne
      peux pas trouver ici.

4. l'Afrique – l'Amérique – l'Asie – l'Europe – l'Océanie

5. la Colombie-Britannique – l'Alberta – la Saskatchewan – le
   Manitoba – l'Ontario – le Québec – le Nouveau-
   Brunswick – la Nouvelle-Écosse – l'Île-du-Prince-Édouard
   – Terre-Neuve

EXERCICE 1

1. Il s'agit du Sphynx que l'on peut voir en Égypte.
2. Il s'agit de la tour Eiffel que l'on peut voir en France.
3. Il s'agit du Colisée que l'on peut voir en Italie.
4. Il s'agit du Big Ben que l'on peut voir en Angleterre.
5. Il s'agit d'une corrida que l'on peut voir en Espagne.
6. Il s'agit de la statue de la Liberté que l'on peut voir à New
   York.
7. Il s'agit d'une gondole que l'on peut voir à Venise.
8. Il s'agit du Taj Mahal que l'on peut voir en Inde.

EXERCICE 3

1. a) On peut voir une mine de diamants en Afrique du Sud.
   b) On peut visiter des vignobles renommés en France.
   c) On peut voir une rizière en Chine.

   d) On peut voir une plantation de café au Brésil.
   e) On peut manger à la cabane à sucre au Québec.
   f) On peut visiter une plantation de coton en Caroline du
      Nord.

EXERCICE 4

1. a) Non, personne ne lui avait dit que les gens condui-
      saient à gauche en Angleterre.
   b) Non, personne ne leur avait dit où était situé le musée.
   c) Non, personne ne m'/nous avait dit de ne pas boire
      l'eau du robinet.
   d) Non, personne ne m'avait dit de m'habiller chaude-
      ment pour l'excursion.
   e) Non, personne ne m'/nous avait dit de réserver une
      chambre d'hôtel au moins six mois à l'avance.

EXERCICE 5

1. a) Il s'agit du temple de Diane à Éphèse.
   b) Il s'agit des pyramides d'Égypte.
   c) Il s'agit du Mausolée.
   d) Il s'agit du phare d'Alexandrie.
   e) Il s'agit du colosse de Rhodes.
   f) Il s'agit du Zeus de Phidias.
   g) Il s'agit des jardins de Babylone.
2. Il s'agit des pyramides d'Égypte.

EXERCICE 6

1. Chaque année, nous allons au même endroit. Cette année,
   j'aimerais bien aller ailleurs.
2. Regarde sur la carte routière : nous sommes situés ici et
   nous devons nous rendre là.
3. Nous avons fait un merveilleux voyage ! Là où nous
   sommes allés, il y avait toujours quelque chose à découvrir.
4. – Regarde l'âne qui se promène avec deux gros paniers.
   – Où ça ?
   – Tu vois le petit pont ? Il est tout près.
5. Nous partirons très tôt demain matin et nous nous arrêterons quelque part pour manger.
6. La gare est trop loin pour qu'on y aille à pied.
7. Il y a vraiment trop de bruit dans cet hôtel. Nous devrions
   aller rester ailleurs.
8. J'ai cherché partout des films pour mon appareil photo
   et je n'en ai pas trouvé. Ils doivent sûrement en vendre
   quelque part.
9. On devrait aller s'asseoir là-bas. Il y a moins de monde
   qu'ici.
10. Ils sont partis quelque part, mais je ne sais pas exactement
    où.

EXERCICE 7

1. Louis XIV (quatorze) fit construire le palais de Versailles au XVIIᵉ (dix-septième) siècle.
2. C'est sous le règne de Louis XVI (seize) au XVIIIᵉ (dix-huitième) siècle qu'éclata la Révolution française.
3. La Muraille de Chine fut construite au IIIᵉ (troisième) siècle avant Jésus-Christ et son parcours actuel date de l'époque de la dynastie des Ming qui régna du XVᵉ (quinzième) siècle au XVIIᵉ (dix-septième) siècle.
4. La Tour de Londres fut construite au XIᵉ (onzième) siècle sous le règne de Guillaume le Conquérant.
5. C'est au XXᵉ (vingtième) siècle que l'Homme commença à faire des voyages interplanétaires.

EXERCICE 8

1. Christophe Colomb découvrit l'Amérique lors de son voyage en 1492.
2. Jacques Cartier prit possession du Canada en 1534.
3. La ville de Québec fut fondée par Samuel de Champlain en 1608.
4. Paul de Chomedey de Maisonneuve fonda Ville-Marie en 1642, ville qui devint plus tard Montréal.
5. Au XIXᵉ siècle, Monseigneur Antoine Labelle contribua énormément au développement de la région des Laurentides. C'est grâce à son initiative qu'on construisit un chemin de fer qui permit de relier Les Laurentides et Montréal.
6. Les Jeux olympiques eurent lieu à Montréal en 1976.

EXERCICE 9

1. L'action se déroule à la plage.
2. Le coquillage contenait de belles images.

3. Il voyagea de la mer au rivage.
4. Le **je** du poème s'imaginait être un coquillage aventurier.
5. Ils étaient rassemblés pour fêter la marée.
6. Il/elle quitta la plage, car un orage s'annonçait.
7. Il/elle y rangea son coquillage.
8. ramasser (je ramassai) – collectionner (il collectionna) – commencer (je commençai) – imaginer (j'imaginai) – tomber (de l'eau tomba) – prendre (je pris)

EXERCICE 10

Le plus beau voyage de ma vie
Fut celui que je fis
Alors que j'étais confortablement assis
Et qu'il n'y avait pas un bruit

Je me mis à rêver
Que toutes les langues je savais parler
À travers le monde je pouvais me promener
Et discuter avec des gens de toutes les nationalités

C'est alors que je réalisai
Que le langage est une véritable clé
Qui peut nous permettre de voyager
Et de découvrir le monde entier

Chaque langue est remplie de mystères
Qui méritent qu'on les éclaire
Mais il faut aussi parfois se taire
Pour réellement comprendre son univers

1. Les noms

EXERCICE 1

1. du fil et une aiguille
2. du ruban
3. une pince à linge
4. une bouilloire
5. une casserole
6. un fer à repasser
7. un balai
8. un porte-poussière

3. un ballon de football
4. un gant de baseball
5. un bâton de hockey et une rondelle
6. une raquette de tennis
7. un casque de football
8. des haltères
9. des gants de boxe

EXERCICE 2

1. un nœud papillon
2. un sac à main
3. une cravate
4. une bague
5. un collier
6. un bracelet

EXERCICE 4

1. un as de cœur
2. un as de carreau
3. un as de pique
4. un as de trèfle

EXERCICE 3

1. un filet de hockey
2. un masque de gardien de but

2. Les articles

EXERCICE 1

1. le plancher
2. le plafond
3. le mur
4. le tapis
5. le toit
6. le comptoir
7. le meuble
8. la bibliothèque
9. le foyer
10. le fauteuil
11. le salon
12. la chambre
13. la salle de bain
14. le sous-sol
15. le grenier
16. la cuisine
17. la salle à manger
18. le portique
19. la cave
20. le garage

EXERCICE 3

1. le dollar
2. la monnaie
3. le portefeuille
4. le porte-monnaie
5. la carte de crédit
6. le compte en banque
7. les dépôts
8. le retrait
9. les placements
10. le salaire
11. le revenu
12. les chèques
13. le paiement
14. le prêt
15. la tirelire
16. le budget

EXERCICE 2

1. le livre
2. le dictionnaire
3. la grammaire
4. la brochure
5. le dépliant
6. le cahier
7. le document
8. la documentation
9. la lettre
10. le message

EXERCICE 4

1. une île
2. une montagne
3. une plaine
4. un bois
5. une forêt
6. une vallée
7. un ruisseau
8. un lac
9. une rivière
10. un fleuve
11. une mer
12. un océan

EXERCICE 5

1. une sortie	9. une pièce de théâtre
2. une soirée	10. des spectacles
3. un cocktail	11. un concert
4. un rendez-vous	12. un vernissage
5. des fêtes	13. une remise de prix
6. un anniversaire	14. une parade
7. des conférences	15. un défilé
8. une foire	16. un carnaval

EXERCICE 6

1. Ils travaillent du lundi au vendredi, de neuf heures à cinq heures.
2. Elle est allée au bureau de poste, car elle n'avait plus de timbres.
3. Ils ont parlé à la directrice de la compagnie Falbala.
4. Ils ont oublié d'envoyer les/des brochures aux clients.
5. Il a vu un emploi intéressant dans le journal *Le Quotidien*.
6. Elle a lu le livre *Le Secret mystérieux* de la première page à la dernière page.
7. Il voulait acheter un disque mais, quand il est arrivé à la caisse, il a réalisé qu'il n'avait pas d'argent dans son portefeuille.
8. Elle est allée au lave-auto et, ensuite, elle est allée à la pharmacie.

3. *Les adjectifs*

EXERCICE 1

Adjectif au masculin	Adjectif au féminin
1. respectueux	respectueuse
2. honnête	honnête
3. aimable	aimable
4. actif	active
5. agressif	agressive
6. ponctuel	ponctuelle
7. parfait	parfaite
8. nerveux	nerveuse
9. anxieux	anxieuse
10. gentil	gentille
11. fier	fière
12. poli	polie

EXERCICE 2

Adjectif au masculin	Adjectif au féminin
1. rouge	rouge
2. blanc	blanche
3. vert	verte
4. noir	noire
5. jaune	jaune
6. brun	brune

EXERCICE 3

1. Agrandir, c'est rendre plus grand.
2. Élargir, c'est rendre plus large.
3. Allonger, c'est rendre plus long.
4. Épaissir, c'est rendre plus épais.
5. Grossir, c'est rendre plus gros.
6. Rapetisser, c'est rendre plus petit.

EXERCICE 4

1. Il est rusé.
   Il est rusé comme un renard.
2. Il est têtu.
   Il est têtu comme une mule.
3. Il est doux.
   Il est doux comme un agneau.
4. Il est courageux.
   Il est courageux comme un lion.
5. Il est paresseux.
   Il est paresseux comme une couleuvre.
6. Il est lent.
   Il est lent comme une tortue.
7. Il est orgueilleux.
   Il est orgueilleux comme un paon.
8. Il est vif.
   Il est vif comme un lézard.

4. Les pronoms

EXERCICE 1

1. Non, ce n'est pas à eux. C'est à elles.
2. Non, ce n'est pas pour toi. C'est pour lui.
3. Non, ce n'est pas pour vous. C'est pour eux.
4. Non, il n'est pas arrivé avant moi, mais il est arrivé avant elle.
5. Non, je ne suis pas parti après elle, mais je suis parti après eux.

EXERCICE 2

1. Oui, c'est moi.
2. Je pense que ce sont eux qui doivent venir.
3. Oui, ce sont elles.
4. Non, ce n'est pas lui.
5. Oui, c'est vous.
6. Oui, c'est lui.

EXERCICE 3

1. Moi, je ne comprends rien !
2. Lui, il croit qu'il a toujours raison !
3. Toi, tu devrais faire plus attention.
4. Eux, ils sont partis depuis longtemps.

EXERCICE 4

1. J'ai fait ce chandail moi-même.
2. Il devait poster les documents, mais finalement il est venu les porter lui-même.
3. Ce n'est pas moi qui ai décidé. Ce sont eux-mêmes qui ont décidé d'attendre avant de signer le contrat.
4. Vous devriez annoncer la nouvelle aux employés vous-même(s).
5. Je ne suis pas convaincu que je devrais accepter cette proposition. Toi-même, tu trouves que cette affaire est risquée.

EXERCICE 5

1. Oui, je t'écoute.
2. Oui, je le connais.
3. Non, je ne la connais pas.
4. Oui, nous l'avons rencontré.
5. Non, je ne lui ai pas parlé.
6. Non, il ne les avait pas reconnus.
7. Non, elle ne l'avait pas prévenu.
8. Oui, il te/vous connaît.

EXERCICE 6

1. Oui, je les ai lues.
   ou Non, je ne les ai pas lues.
2. Oui, j'en ai eu.
   ou Non, je n'en ai pas eu.

3. Oui, je les comprends.
   ou Non, je ne les comprends pas.
4. Oui, j'en veux plus.
   ou Non, je n'en veux pas plus.
5. Oui, j'en ai un.
   ou Non, je n'en ai pas.
6. Je l'ai acheté...
   ou J'en achèterai un...
7. Oui, je le consulte souvent.
   ou Non, je ne le consulte pas souvent.
8. Oui, je l'ai trouvé difficile.
   ou Non, je ne l'ai pas trouvé difficile.

EXERCICE 7

1. Oui, il le lui a prêté.
   Non, il ne le lui a pas prêté.
2. Oui, elle me les a donnés.
   Non, elle ne me les a pas donnés.
3. Oui, je le lui ai remis.
   Non, je ne le lui ai pas remis.
4. Oui, nous la leur avons annoncée.
   Non, nous ne la leur avons pas annoncée.
5. Oui, ils la leur ont expédiée.
   Non, ils ne la leur ont pas expédiée.
6. Oui, je lui en ai parlé.
   Non, je ne lui en ai pas parlé.
7. Oui, nous lui en avons envoyé.
   Non, nous ne lui en avons pas envoyé.
8. Oui, je te les ai remises.
   Non, je ne te les ai pas remises.

EXERCICE 8

1. Oui, ils y vont régulièrement.
2. Oui, elle va y aller bientôt.
3. Non, nous ne voulions pas y aller.
4. Non, je n'y serais pas allé.
5. Non, elle n'y est pas allée.
6. Non, il n'y est pas allé.

5. *Les verbes*

EXERCICE 1

1. j'avais étudié
   tu avais étudié
   il/elle/on avait étudié
   nous avions étudié
   vous aviez étudié
   ils/elles avaient étudié

2. j'étais arrivé
   tu étais arrivé
   il/on était arrivé
   elle était arrivée
   nous étions arrivés
   vous étiez arrivés
   ils étaient arrivés
   elles étaient arrivées

EXERCICE 2

1. Elle n'avait pas étudié.
2. Tu n'avais pas dormi.
3. Ils n'étaient pas partis.
4. Nous n'avions pas discuté.
5. Je n'étais pas venu.
6. Elles n'avaient pas travaillé.

EXERCICE 3

1. ...
   – J'avais entendu dire qu'il avait pris sa retraite.
2. ...
   – Oui, mais ce n'était pas la première fois qu'ils y allaient. Vous étiez déjà allés en France auparavant.
   – Mon mari et moi y étions déjà allés, mais les enfants n'étaient jamais venus avec nous.
3. ...
   – Parce que le vendeur m'avait dit que le délai de livraison était de dix jours et ça a pris six semaines avant de les recevoir ! Si j'avais su, je n'aurais pas acheté mes meubles à ce magasin.
4. ...
   – Moi, quand j'étais petite, j'avais pris une bouteille de ketchup et j'en avais mis partout dans ma chambre. Ma mère avait dû nettoyer ma chambre au complet.
   – Qu'est-ce que ton père avait dit ?
   – Il n'était pas là. Il était parti en voyage d'affaires.
5. ...
   – Bravo ! Je suis certaine que tu vas aimer ça. Moi aussi, il y a quelques années, je m'étais inscrite à deux cours du soir, mais je n'avais pas pu terminer le trimestre.
   – Pourquoi ?
   – Parce que j'avais trouvé un nouvel emploi et je devais travailler le soir. J'avais été très déçue d'abandonner mes cours.

EXERCICE 4

1. Oui, mais je l'avais déjà vu.
2. Malheureusement non. Ils étaient déjà partis quand nous sommes arrivés.
3. Non, elle n'y était jamais allée.
4. Oui, il en avait trouvé un.
5. Oui, je les avais cachées sous le tapis, mais je pense que le chien les a prises !

6. Non, ils n'avaient pas prévu que l'exposition remporterait un tel succès.

EXERCICE 5

Mardi dernier, la banque Forteresse fut le théâtre d'un vol spectaculaire. Vers onze heures, trois personnes déguisées en kangourous entrèrent dans la banque. Un des kangourous dit à un préposé au comptoir : « Vite, donnez-moi l'argent ! » Le préposé donna l'argent au kangourou et alla rejoindre les autres employés. Les trois kangourous remplirent leurs poches et s'enfuirent. Quand ils sortirent de la banque, ils eurent une mauvaise surprise ! Plusieurs policiers avaient encerclé la banque et ils attendaient les voleurs. Un des policiers menotta les trois kangourous et leur dit : « Allez, montez à bord ! Et que ça saute ! »

EXERCICE 7

1. j'aurai acheté
   tu auras acheté
   il/elle/on aura acheté
   nous aurons acheté
   vous aurez acheté
   ils/elles auront acheté

2. j'aurai fini
   tu auras fini
   il/elle/on aura fini
   nous aurons fini
   vous aurez fini
   ils/elles auront fini

3. je serai parti
   tu seras parti
   il/on sera parti
   elle sera partie
   nous serons partis
   vous serez partis
   ils seront partis
   elles seront parties

4. je serai revenu
   tu seras revenu
   il/on sera revenu
   elle sera revenue
   nous serons revenus
   vous serez revenus
   ils seront revenus
   elles seront revenues

EXERCICE 8

1. Ils nous paieront quand ils auront eu l'autorisation de la direction.
2. Ils déménageront quand ils auront trouvé un nouveau local.
3. J'étudierai quand je serai rentré(e) à la maison.
4. Elle va vous rappeler quand elle sera revenue à son bureau.

EXERCICE 9

1. j'aurais étudié
   tu aurais étudié
   il/elle/on aurait étudié
   nous aurions étudié
   vous auriez étudié
   ils/elles auraient étudié

2. je serais sorti
   tu serais sorti
   il/on serait sorti
   elle serait sortie
   nous serions sortis
   vous seriez sortis
   ils seraient sortis
   elles seraient sorties

EXERCICE 10

1. J'aurais aimé y aller, mais je ne pouvais pas.
2. Oui, mais j'aurais voulu rester là-bas encore plus long-temps.
3. Il l'aurait dit avant, mais il n'avait pas assez de preuves.
4. Il serait venu, mais Antoine a annulé le rendez-vous parce qu'il avait trop de choses à faire.
5. Elle y serait allée, mais elle n'a pas été invitée.
6. J'aurais voulu le finir aujourd'hui, mais je n'ai pas pu parce qu'il me manquait certaines informations.

EXERCICE 11

1. Auriez-vous étudié ?
2. Serait-il allé ?
3. Aurions-nous voulu ?
4. Seriez-vous revenus ?
5. Seraient-ils partis ?
6. Aurait-elle travaillé ?

EXERCICE 12

1. Aurait-il voulu être médecin ?
2. Auraient-ils acheté la maison si elle avait été moins chère ?
3. Aurait-il accepté cette offre ?
4. Aurais-je dû lui dire ?
5. Auraient-ils voulu plus d'explications ?
6. Serait-elle restée plus longtemps si elle avait su que je viendrais ?
7. Aurait-elle signé ce contrat ?
8. Aurais-tu dit ça ?

EXERCICE 13

1. Ne m'appelle pas au bureau.
2. Ne lui envoyez pas les documents par la poste.
3. Ne le signez pas maintenant.
4. Ne la vendez pas cette année.
5. Ne leur dites pas la vérité.
6. Ne les apprenez pas par cœur.
7. Ne me téléphonez pas tous les jours.
8. Ne t'abonne pas à ce journal.

EXERCICE 14

1. aie nettoyé
ayons nettoyé
ayez nettoyé
2. aie fini
ayons fini
ayez fini
3. sois parti
soyons partis
soyez partis
4. sois revenu
soyons revenus
soyez revenus

EXERCICE 15

1. – Tu peux aller chez ton ami, mais sois revenu avant six heures.
2. – Le règlement est clair : ayez demandé la permission à votre père ou à votre mère avant d'inviter des amis à la maison.
3. – Aie rangé ta chambre avant que les invités arrivent.
4. – Ayez fait tous vos devoirs avant le souper. Ce soir, nous sortons.

EXERCICE 16

1. – Je veux que tu sois revenu à la maison avant dix heures.
2. – Je veux que vous ayez terminé cet exercice avant de faire le suivant.
3. – Je suis content que vous ayez accepté notre proposition.
4. – Je suis content que vous m'ayez élu.
5. – Je regrette que tu n'aies pas pu venir à la réception.
6. – Le patron désire que vous ayez terminé ce travail avant trois heures.

EXERCICE 17

1. – Tu peux aller au cinéma à condition que tu sois rentrée...
2. – Je ne trouve plus mon sac à main. Il est possible que je l'aie oublié...
3. – Mon fils a obtenu de bons résultats scolaires bien qu'il ait joué...
4. – M. Pilon n'est pas encore arrivé au bureau. Il est possible qu'il ait oublié...
5. – Il faudrait que je travaille sur ce projet toute la nuit pour que j'aie fini...
6. – Le client exige que nous ayons terminé...

EXERCICE 18

1. Il a appris la nouvelle en écoutant la radio.
2. Il s'est endormi en lisant un livre.
3. Il a trouvé de nouveaux clients en téléphonant dans plusieurs entreprises.
4. Elle a fait beaucoup d'argent en investissant dans l'immobilier.
5. Ils ont vendu leur bateau en plaçant une annonce dans le journal.
6. Il s'est fait mal au dos en transportant une grosse boîte.
7. Elle a appris beaucoup de choses en suivant des cours de perfectionnement.
8. Il est devenu plus calme en vieillissant.

EXERCICE 19

1. Je l'ai appris en suivant des cours.
2. Je me suis blessé en jouant au tennis.
3. Je l'ai endormi en chantant des chansons.
4. Il a pris la nouvelle en riant.
5. Elle l'a brisée en déplaçant la table.

EXERCICE 21

1. Quand j'étais petite, nous devions avoir lavé nos mains avant de nous mettre à table.
2. Nous devions avoir enlevé nos souliers avant d'entrer dans la maison.
3. Nous devions avoir récité nos prières à genoux avant de nous mettre au lit.
4. Nous devions être rentrés à la maison avant la noirceur.
5. Nous devions avoir mangé toute notre assiettée avant de sortir de table.

EXERCICE 22

1. Il faut avoir mis ses bas avant de mettre ses souliers.
2. Il faut avoir lavé la vaisselle avant de l'essuyer.
3. Il faut être entré dans la maison avant d'enlever son manteau.
4. Il faut avoir lu un contrat avant de le signer.
5. Il faut avoir branché le photocopieur avant de l'utiliser.

6. Les adverbes

EXERCICE 1

1. idéalement
2. extrêmement
3. infiniment
4. respectueusement
5. évidemment
6. finalement
7. probablement
8. lisiblement

EXERCICE 2

1. Depuis qu'il fait ses exercices régulièrement, il se sent beaucoup mieux.
2. – Veux-tu venir avec moi au cinéma ?
   – J'accepte volontiers.
3. Ralentis ! Tu roules trop vite.
4. – Venez-vous jouer au tennis ?
   – Je crois que nous devrions plutôt aller nous baigner. Nous aurions moins chaud.
5. Elle serait bien contente si vous veniez la voir plus souvent.
6. Ils vivent ensemble depuis quatre ans.
7. Son travail est mal fait. Il devra le refaire.
8. Il est resté debout toute la nuit pour refaire son travail.

EXERCICE 3

1. Elle n'est pas assez calme.
2. Il faudrait qu'il parle moins.
3. J'ai tellement de travail que je ne peux pas sortir.
4. Il a presque fini son travail.
5. Il y avait environ quinze personnes.
6. Ils devraient étudier davantage s'ils veulent réussir leur examen.
7. Les deux verres contiennent autant de jus.
8. Elle a beaucoup de choses à faire.
9. Les deux questions sont aussi difficiles.
10. Cette automobile coûte trop cher.
11. C'est plus tranquille ici.
12. Il est très motivé.
13. J'ai presque terminé cet exercice.
14. Ils lisent peu.

EXERCICE 4

1. b) demain
2. a) souvent
3. b) Autrefois
4. c) parfois
5. a) encore

EXERCICE 5

1. – J'ai cherché le chien partout dans la maison et je ne l'ai pas trouvé. Où peut-il bien être ?
   – Il est dehors.
   – Qu'est-ce qu'il fait là ?
2. – Il y a trop de bruit ici. Je vais aller lire ailleurs.
3. – Je ne me souviens plus où j'ai mis mes lunettes. Elles ne peuvent pas être très loin, je les ai vues il y a quelques minutes.
   – Si tu ne laissais pas traîner tes choses partout, tu ne les perdrais pas !

EXERCICE 6

1. Non, je n'ai pas besoin d'aide.
2. Non, personne n'a de questions.
3. Non, nous n'avons jamais vu ce film.
4. Non, personne ne l'a pris.
5. Non, elles ne se voient plus.
6. Non, je n'ai rien acheté.
7. Non, il n'habite plus avec eux.
8. Non, je ne l'avais jamais rencontré.
9. Non, je n'ai rien fait.
10. Non, il n'a rien dit.

EXERCICE 7

1. Non, il n'aime que le fromage.
2. Non, il ne fait que de la natation.
3. Non, elle n'y va que le samedi.
4. Non, je n'en ai fait qu'une.
5. Non, elle ne sort que la fin de semaine.

7. Les prépositions

EXERCICE 1

1. Il est allé à Vancouver la semaine passée.
2. Elle habite en Nouvelle-Écosse.
3. Ils sont déménagés dans un quartier très riche.
4. Pour venir chez moi, tu dois prendre le boulevard des Pins jusqu'à la rue Sapin.
5. Elle est partie en Californie pour trois mois.
6. Quand vous partez de Montréal, vous devez rouler vers le nord pour aller à Saint-Sauveur.
7. Nous ne sommes jamais allés dans les Territoires du Nord-Ouest.
8. Il doit marcher jusqu'à la station de métro.
9. Elles sont allées à New York pendant la fin de semaine.
10. L'hiver, les oiseaux s'envolent vers le sud.

EXERCICE 2

1. Ils auront terminé dans une demi-heure.
2. Ils sont partis avant la fin du film parce qu'ils n'aimaient pas l'histoire.
3. Elle est restée au bureau jusqu'à deux heures du matin.
4. Si mes calculs sont bons, il devrait revenir ici vers deux heures de l'après-midi.
5. Il s'est beaucoup reposé pendant/durant ses vacances.
6. Je pourrai aller te voir avant/après le souper.
7. Elle a attendu à l'aéroport de midi à quatre heures.
8. Je vais l'appeler dès mon retour au bureau.

EXERCICE 3

1. Tout le monde était là, sauf Michel.
2. Je ne sais pas ce que je ferais sans toi.
3. Elle manque de respect envers ses professeurs.
4. Selon lui, ils ne viendront pas.
5. Il est parti avec la mauvaise enveloppe.

EXERCICE 4

1. Il devrait revenir vers quatre heures.
2. Selon moi, ce politicien ne sera pas élu.

3. Il est entré sans faire de bruit.
4. Ils choisiront une personne parmi nous.
5. J'ai attendu pendant deux heures.
6. J'attendais cette occasion depuis longtemps.
7. Tu ne peux pas faire ça ! C'est contre la loi.
8. Vu le mauvais temps, le tournoi a été annulé.

EXERCICE 5

1. Elle est loin de Patrice.
2. Elle est près de Patrice.
3. Elle est à côté de Patrice.
4. Elle est en face de Patrice.
5. Elle vole autour de Patrice.

EXERCICE 6

1. Nous avons obtenu ce contrat grâce à lui.
2. Nous discuterons de cette affaire lors de notre prochaine réunion.
3. Tu devrais réfléchir un peu avant de prendre ta décision.
4. D'après lui, les ventes augmenteront si nous baissons nos prix.
5. C'est hors de question ! Nous ne baisserons pas nos prix !
6. Étant donné les circonstances, ils retarderont le projet.

8.   *Les conjonctions*

EXERCICE 1

1. Je dois terminer ce travail aujourd'hui, car tout doit être prêt demain.
2. Tu devrais te concentrer un peu plus quand tu calcules, sinon tu vas te tromper.
3. Puisque vous êtes très occupé, je reviendrai plus tard.
4. Je vais terminer ce que j'ai à faire et, ensuite, j'irai vous rejoindre.
5. Il est venu me porter ses choses, puis il est reparti.

EXERCICE 2

1. b) lorsque
2. c) sinon
3. c) mais
4. a) pourtant
5. b) toutefois

EXERCICE 3

1. Ils nous prêteront l'argent à condition que nous puissions les rembourser d'ici trois mois.
2. Maintenant que ton examen est terminé, tu vas pouvoir relaxer.
3. Nous pourrions prendre un café en attendant qu'ils arrivent.
4. Il s'est opposé à la décision de même que les autres personnes présentes.
5. Ils ont tout organisé la fête sans que je le sache.
6. Elle était à l'extérieur de la ville et c'est pourquoi elle n'est pas venue.

EXERCICE 4

1. Étant donné que tout le monde a beaucoup de travail, je crois que nous devrions remettre notre réunion à demain.
2. J'ai dit aux enfants qu'ils pouvaient jouer dehors jusqu'à ce qu'il fasse noir.
3. Elle a apporté son parapluie au cas où il pleuvrait.
4. Nous n'avons pas eu de ses nouvelles depuis qu'elle a déménagé.
5. Je ne lui reparlerai pas tant qu'il ne se sera pas excusé.
6. Ils n'ont pas eu le temps de visiter beaucoup de choses pendant leur voyage, par contre ils se sont bien reposés.